WAC BUNKO

「リベラル」の正体

茂木誠
朝香豊

WAC

はじめに～乗っ取られたリベラル

私は、ロシアのジョークが大好きです。

①共産主義者とは？
マルクス・レーニンの著作を読んだ者である。
反共主義者とは？
マルクス・レーニンの著作を理解した者である。

②共産主義とは何か？
理性に対する理念の勝利である。

③「どうです、ソ連の住み心地は？」

「船旅のようですな」

「というと？」

「展望はすばらしいんだけど、吐き気がする。おまけに降りられない」


いずれもソ連時代のロシアのジョークです（平井吉夫編『スターリン・ジョーク』河出書房新社）。共産主義という壮大な実験場、あるいは巨大な収容所にされてしまったロシア。そこで生きざるを得なかった人たちが、秘密警察の監視を受けながら、ささやかな抵抗の手段としてジョークに磨きをかけたのです。


日本でも、共産党が力を持った時代がありました。

若い頃、共産党の中で「日本を変えよう」と頑張ってきた人たちが、やがて何かが違うと気づき、むしろ共産党批判の急先鋒になるという例を、私は何度も見てきました。いわゆる保守の論客の中に、そういう人がたくさんいるのです。逆に保守から共産党へ行ったという人を、私は知りません。

新進の経済評論家・朝香豊さんは、学生時代には日本共産党や民青同盟（共産党系の青年組織）で活動されていました。今は保守のお立場で言論活動をされています。

マルクス主義をとことん勉強した朝香さんだからこそ気づいたマルクス主義の本質的な欠陥については、本書第五章で明らかになるでしょう。

朝香さんが対談の中で、「自分は左翼運動からは足を洗ったが、今でも左翼的なメンタリティが抜けない部分があるのを自覚することがある」とおっしゃったのが印象に残っています。なるほど、思想の根っこにはそれを支えるメンタリティ、特有の感性があるのだと納得しました。この「根っこ」がある限り、形を変えたマルクス主義の芽が、そこから生えてくるでしょう。

確かにソ連崩壊でマルクス・レーニン共産主義は敗北し、中国共産党はむき出しの資本主義を受け入れることで生き残りました。日本共産党は選挙のたびに議席を減らし、彼らの集会を覗いてみれば、支持者の高齢化が進んでいることが一目瞭然です。あと十年後には泡沫政党に転落しているでしょう。

その一方で、形を変え、名前を変えた新たなマルクス主義が、急速に台頭しています。

それがエコロジー（環境主義）であり、フェミニズム（女性開放運動）であり、ＬＧＢＴＱ（性的マイノリティーの解放運動）であり、少数民族や在留外国人の権利擁護運動なのです。これら「リベラル思想」の蔓延は日本のみならず先進国に共通した現象であり、各国政府、官僚機構、そして何よりも国連の組織にまで根を張っているのです。

これらの運動がマルクス主義とどのように結びつくのかについては、本書の第六章、第七章で明らかになるでしょう。

リベラルとは本来、マルクス主義とは対立する個人主義、自由主義思想を意味しました。しかし世界恐慌期以降、「自由競争の規制、平等と分配の重視」を掲げる隠れマルクス主義者が「リベラル」を自称するようになり、今日の日本でもその意味で使われています。本書で「リベラル」と括弧付きにしたのは、後者の意味のリベラルという意味です。

何かを批判するときに、「何となく胡散臭い」「気持ち悪い」という直感は大切です。しかしこれではただの罵倒、感情的な対立になってしまい、そこから何も新しいものは生まれず、学びもありません。ネット上には、この種の罵詈雑言（ばりぞうごん）が溢れかえっています。

そういった違和感を感覚だけに終わらせず、彼らの言っていることの、「この部分が事実に反する」、「ここに矛盾がある」と指摘できるようになるためには、相手方の論理をある程度は理解し、自分のものにしておく必要があるのです。

聖パウロは熱心なユダヤ教徒として、キリスト教を断罪する立場にいた人でした。そのパウロがキリスト教に回心した結果、彼はユダヤ教徒との論争では誰にも負けない理論家となり、キリスト教の教義の完成にも寄与したのです。

意見が真っ向から対立するもの同士が、忍耐を持ってお互いの考え方を理解しようと務め、対話ができるようになったとき、自分も変わり、相手も変わります。これこそが真の学びであり、また新たな地平がひらけるかもしれません。

令和四年（二〇二二年）六月吉日

茂木　誠

「リベラル」の正体

目次

第四章 マルクス主義の地政学

第六章

世界を覆うフランクフルト学派＝隠れマルクス主義者

「教育とマスメディアを握れ」
労働者は窮乏化せずに豊かになってしまった
フランクフルト学派の「批判理論」とは？
自国を愛するのは極右思想で「汚らわしい」
「アメリカを共産主義化させるための四十五の施策」
「北朝鮮は狂っていたが、アメリカほどではなかった」
ＢＬＭ運動の理論的支柱はマルクス主義者
ＢＬＭにＧＡＦＡＭと中国共産党が支援金を
「自由と民主主義のアメリカ」は幻想に
バイデン政権が加速する自滅的な動き

第一章

ウクライナ侵略が暴いた「リベラル」の欺瞞

「ロシアは絶対に許されない」ならどうする？

朝香　二〇二二年二月二四日、ウクライナに対してロシアが全面的に侵略する事態が発生しました。この事態は私たち「保守派」と呼ばれる側でもあまり予想していなかったものだったと思いますが、左派＝「リベラル」派にはかなりの衝撃になったのではないかと思います。

茂木　リベラル系の毎日新聞が三月十九日に実施した世論調査でも、ロシアがウクライナに軍事侵攻したことで、日本の安全保障が脅かされる不安を感じる人の割合が八七％に達し、特に不安は感じない人たちがわずか一一％にとどまりました。中国が台湾に軍事侵攻する不安については八九％が不安を感じ、特に不安は感じない人たちはわずかに八％にとどまりました。米国の核兵器を日本に配備して共同運用する「核共有」についても五七％が議論すべきだと答えていて、議論すべきではないというのは三二％にすぎませんでした。

「リベラル」派の中でもかなり意識の変化があったことが窺えます。

朝香　今回の事態を受けても、日本共産党の志位和夫委員長は従来型の「正論」から踏み出した現実的な議論に踏み込むことができなかった。このあたりに左派＝「リベラル」派の限界が如実に表れていますね。

茂木　志位委員長は「ロシアによるウクライナへの軍事行動は、国連憲章に真っ向から違反した侵略行為である。国連憲章に基づく国際秩序の根幹に反することであり、核兵器の先制使用さえ示唆して世界を威嚇するというのは、絶対に許されない。原発だの病院だのへの攻撃はジュネーブ条約等の戦時国際法に明らかに反していて、これもまた絶対に許されないものである。国連総会の緊急特別会合でロシア批判決議の採択に棄権とか退席した国とかがあったりするけれども、そういう国々に対して軍事行動の中止を求める立場に立つよう働きかける外交活動を展開すべきだ」と主張しました。これはまさに「正論」であって、この議論のどこかに間違いがあるという話ではない。

朝香　完全な「正論」なんですよ。ではプーチンがそういう「正論」を突きつけられたときに、「あ〜、それって考えていませんでした」「言われてみたら確かにそうですね」とか言って、軍隊を引き上げるかっていったら、絶対やらないわけじゃないですか。その絶対やらないことに対して、国際社会としてどう対応するのかというリアリティーのある話になったときに、結局そこから先の話がないという弱点をさらけ出すわけですよね。

茂木　要は性善説なのです。プーチンだって話せばわかる、と。「絶対許されない」から何をするのかというと、結局「話し合って」と言うしかない。でも相手は、話し合いでは自分の意志を押し通すことができないと考えているから、武力行使に踏み切っているという現実は全く見過ごされている。

朝香　双方が話し合いによって解決したいと考えているときしか話し合いは成立しないという当たり前のことが抜けています。プーチンは「力の論理」で押し切れば押し切れると考えていて、話し合いが必要だなどとは全く考えていない。

強権国家がガーッとやってきたことに対して、なんとしてでもそれを食い止めなければいけない。「力の論理」で押し切ろうとする勢力が完全に敗北するような結果に持ち込むことが、今後の世界平和にとっても極めて重要である。中国が「力の論理」で押し切れないようにしないといけない。そのために何をするのか、という視点が彼らには完全に抜け落ちているんですよね。

茂木　日本共産党が代表例ですが、それ以外の左派リベラルの人たちに関しても、もうはっきり軍事アレルギーみたいなところがあるじゃないですか。私は高校の世界史の教員が集まっているメーリングリストに参加しているんですが、今回のウクライナに対するロシアの侵略を受けて、こんな書き込みをした人がいました。

「抵抗すればするほど国民の犠牲が高まっていく。ならば降伏して戦争をやめて、その後ロシアも加盟している国連や国際司法裁判所がプーチンを逮捕して、戦争犯罪人として裁けばよいと思います。私は命と先祖伝来の土地とを天秤にかけたときに、命のほうが大事だと思います。戦前の国体護持の名の下に、日本国民、ひいてはアジアの人民が犠牲になったことを忘れてはなりません」

朝香　ウクライナが降伏をするということは、ロシアの言い分を認めるということになるのだけど、そこが理解できないんですかね。国際社会においては国家権力を超える権力は存在せず、従ってプーチンだけでなく、習近平にしろ金正恩にしろ、人権無視・強圧支配をやりたい放題やっていても、彼らを取り締まるような権限はもともと国連などには存在しないという常識が、この先生には欠如していますね。

茂木　そもそも国際司法裁判所では、国家の指導者は裁けないですよね。

朝香　個人の刑事案件で裁判を行えるのは国際刑事裁判所とか国際戦犯法廷とかで、国際司法裁判所ではないという答え方は、当人の発言意図を忖度すると、ちょっと意地悪ですかね。念のために付け加えておくと、国際刑事裁判所の設立条約からロシアは離脱をしていて、国際刑事裁判所で審理を進めてプーチンの有罪が決まったとしても、逮捕はできません。国際戦犯法廷は安保理の議決による設置は可能ですが、ロシアが拒否権を発動するに決まっているので、やはりここで審理をしてプーチンを裁くなんてことは事実上無理ですね。

茂木　「国際法で裁けばいい」と簡単に言いますが、裁くためには容疑者を拘束して裁判所に出頭させる強制力が必要なのです。国内犯罪に関してはその国の検察と警察がこの強制力を持つわけですが、主権国家間の対等を認めている国際社会（ウェストファリア体制）においては、超国家的な検察権力、警察権力が存在しないのです。国連は主権国家の「町内会」にすぎません。

したがって国家間の紛争を裁く国際司法裁判所は、被告となった国の同意がなければ審議は行われません。竹島（独島）領有権問題を日本が国際司法裁判所に提訴できないのは、韓国側が審議に応じないからです。また国際司法裁判所の被告となるのは国家であり、個人（指導者）ではありません。

例外的なのは、戦争の結果、戦勝国が敗戦国の国家主権を制限して、その指導者を裁く場合です。第二次大戦直後のドイツに対するニュルンベルク裁判と、日本に対する東京裁判がその最初の例で、敗戦国の戦争指導者を国際法の名のもとに裁きました。一方、戦勝国の犯罪行為——一般市民に対する米軍の戦略爆撃（ドレスデン、東京、広島、長崎）も、日ソ中立条約違反であるソ連の対日参戦とシベリア抑留も不問に付されたのです。

朝香　冷戦期は、米ソ両大国が安保理常任理事国として拒否権を乱発し、自国や同盟国の戦争犯罪が裁かれるのを妨害してきましたね。

茂木　冷戦終結後、ようやく特別戦犯法廷が開かれるようになり、ルワンダ内戦、旧ユーゴ内戦、カンボジア内戦の責任を問う裁判が開かれました。こうした臨時の戦犯法廷を常設化したのが国際刑事裁判所（ＩＣＣ）ですが、肝心の米国、中国、ロシア、ウクライナまでも未加盟で、ウクライナ侵攻に関するＩＣＣ検察官の捜査要求を、ロシアは無視しています。結局、「戦争犯罪を行った政権が崩壊しない限り、その指導者は裁けない」というのが現実なのです。

こういった現実を知らず、「国際法で裁けばいい」とか「国連が何とかしてくれる」などと、ぽわ〜っと思っている先生が、日本の学校にたくさんいるのは間違いありません。彼らは軍事アレルギーになっていて、軍事で解決をするというのを頭から否定したいという意識になっているから、そこにつながる議論をどうしても排除したいと考えてしまうんでしょうね。

中国や北朝鮮より日本の自民党体制が敵

朝香　左派の人たちの中には、単純に「暴力は絶対ダメ」という感情的な判断もあるのでしょうが、それとは違った意識も介在しているのではないかと思います。軍事力は国民を守るものだというのは建前にすぎず、本当は現体制を支えたいと思っている人たち、つまり支配層にとってのみ役に立つような存在でしかないとの思い込みもあるのだろうと思います。私が共産党員だった頃にはそんな考えがありました。「一般国民を守るためのものであるという見方をするのは、その軍事力というものの本質を隠した理解であって、騙されてはいけない。軍事力は隠れたところでは我々国民にも向けられている存在だ」——こんな「疑念」が左派＝「リベラル」派の中には広がっているのではないでしょうか。

茂木　つまり、現体制は肯定できるような存在ではなく、現体制を守るような軍備を持たせることは許せないということですね。

朝香　そういうことですね。彼らは現体制なんてろくなものじゃない、軍だってろくなもんじゃない、そういうところを隠す議論はおかしいと思っていて、こうした点で批判的でなければまともな人間ではないと思っている。良心を持っていれば、この現体制を擁護するなどということはおおよそあり得ないという前提が彼らのなかにはあるのだと思います。

茂木　確かに、共産党は自分たちが政権を握ったら軍隊を持つと言っていますよね。現体制の軍隊は認められないが、自分たちが権力を握った時の軍隊は別に問題ないという。ここにも現体制に信頼を寄せることはできないとする彼らの考えが明確に出ています。

朝香　私たちからすると「敵」として考えるのは中国だったり、北朝鮮だったりという強権国家が頭に浮かぶじゃないですか。ですが、彼らにとっての第一の敵というのはそうじゃないんですね。日本国なんです。日本の国家体制の方がはるかに危険であり、不信感を持つべき対象ということになります。結果として中国や北朝鮮に対しては随分甘くなってしまう。それどころか、日本国の国家体制をぶっ潰すのに、中国や北朝鮮を利用できるかもしれないとまで考えてしまう。

茂木　世界的に見ても「リベラル」というのは自国の国家体制のほうが「外国」よりも危険な存在だと考えますね。自分の国の中にこそ戦うべき敵がある。自分の国内体制が最大の敵だと見なしている。

朝香　だから彼らは日本の国家体制をしっかり守らなければならないと主張する安倍元総理なんかにはものすごく牙を向けてくるわけなんですが、中国や北朝鮮の問題をさほど大きなものとしては扱わない。

茂木　「非核三原則を断固として守れ」と日本政府には要求するけれども、習近平の中国や金正恩の北朝鮮の危険な核軍拡を何としてでもやめさせようという行動はほとんどやらないですよね。

朝香　そのくせ資本主義の「総本山」的なアメリカについては邪悪な侵略国家だという見方を極端に膨らませている。アメリカに問題がないとは私も思わないけれど、日本の安全保障にとってはアメリカよりも中国や北朝鮮の方がよほど危険で、真剣な対応を考えないといけないいんじゃないか。この当たり前の発想が彼らにはできないんですよ。

そう言えば、テレビプロデューサーのテリー伊藤氏と、ウクライナ人で通訳のオクサーナさんがニッポン放送のラジオ番組で言い合いになったことがありました。あのやり取りの中でテリーさんは「民間人の死者がどんどん増えていくのが一番いけないことだ」と言いました。

橋下徹、テリー伊藤に欠けるもの

茂木　憲法九条をたてまつる空想的平和主義者には耳当たりのいい言葉ですが、それが結局は侵略した側の「力の論理」に譲歩しろということを意味することが彼らにはわからないのか、あるいはわからないふりをして、尖閣諸島を狙っているどこかの拡張主義国家にゴマをすっているのか。

朝香　プーチンを利するようなことは今後の世界の平和を考えたら絶対に許してはならない。それなのに彼らは「戦争反対」という一言で片付けてしまい、侵略する側と侵略される側をともに「戦争を行っている勢力」として、どちらにも反対するという姿勢を見せることになります。それが結局「力の論理」で侵略してきたプーチン・ロシア側を利することになるのに目をつぶろうとするのです。そうしないと「九条」が危なくなるから(笑)。強権国家が幅を利かせる世界ができることより、九条を守ることの方が重要なんですよ。

茂木　もはや信仰ですね。ハイジャックがあって身代金を要求されても、そんなことは絶対に許してはならないというのが現在では国際的なコンセンサスになっています。これも目先の命にとらわれてハイジャック犯に譲歩すれば、彼らは味を占めて、次の事件の誘因になるからです。一九七七年にダッカの日航機ハイジャックが起こった際には、時の総理大臣だった福田赳夫は「人命は地球より重い」と述べて犯人側の要求を飲みましたね。

朝香　当時あんなことやっていいのかと、子供ながら思いましたが、まさに「平和憲法」に毒された日本国を象徴する出来事だったと思います。

茂木　今回の、プーチンの「力の論理」に対してウクライナに屈服を求める動きはテリー伊藤氏だけではないですね。ネット上にはロシアの味方をする意見は多く、ウクライナのゼレンスキー大統領がプーチンとの間でまじめに外交交渉を行わなかったからこんな事態になったのだ、とか「東部ウクライナにおけるロシア系住民への弾圧」というロシア側の言い分を信じる人も少なくない。

しかしそれが事実だと仮定しても、独立主権国家ウクライナに対してロシアが軍事侵攻する正当な理由にはならない。現在の国際秩序において戦争が許されるのは、侵略された時の自衛権の発動と、国連安保理決議で武力制裁が認められた場合だけ。今回はそのどちらでもない。完全にアウトです。これが許されれば、同じことをする大国が出てくるでしょう。

朝香　テリー伊藤氏は「国民は一度安全な場所に移動して、もう一度立て直すっていう考えはどうなんですかね」なんてことも言っていた。橋下徹氏も「今、ウクライナは十八歳から六十歳までの男性を国外退避させないっていうのは違うと思いますよ」と、ウクライナ人は国外へ逃げて、国土を一旦ロシアに引き渡せと言っているかのような発言までしていた。

茂木　僕はベトナム戦争のことを思い出しました。ベトナムはフランスとのインドシナ戦争があり、そこからベトナム戦争になって、圧倒的な武力でフランスとアメリカがベトナムを追い詰めていた。あれですぐにベトナム人が降伏していたら、三百七十万人も死なずにすんだわけですよね。でも、彼らは絶対に降伏しないと言って、本当に一人一人が武器を取って戦って、そして遂にはフランス、アメリカ両軍を撤退に追い込みました。

そのベトナムで「祖国のために戦うか？」ってアンケートをとると、実に九割が戦うって答えるんですよ。要するに「命を守ること」と「独立や自由を守るため戦うこと」を天秤にかけたときに、ベトナム人は命より独立や自由を守るっていうことを選んだし、そのことに誇りを持っているわけですね。テリーさんの論法である、「とにかく命が大事」ってことは、たとえ敵の奴隷になっても戦うな、ということになる。これは「奴隷の平和」です。

ロシアと戦ったフィンランドは「とんでもない国」か？

朝香　フィンランドは一九一七年にロシアから独立したものの、その後ソ連側から国境線の変更、ソ連軍の軍事基地設置とその駐留を要求されました。フィンランドはこの無茶苦茶な要求に屈せず、あくまでもソ連と戦う道を選択しました。フィンランドは多大な犠牲を払って国土の一〇％も失ったけれども、最終的には独立の維持に成功しました。これを私はとっても立派だと思うのですが、テリーさんや橋下さんには多くの国民を犠牲にしたとんでもない選択だったように見えるのでしょうか。

茂木　あの時、スターリンから同じような要求を突きつけられたバルト三国は、ソ連の要求を飲んでしまった。国民の命を大切にしたわけです。その結果バルト三国はソ連に併合され、言論の自由を奪われ、ソ連から「敵」認定された多くの人々が、シベリアへ送られてしまいました。ソ連の崩壊によってようやく独立を果たし、二度と隣国に併合されまいとNATOに加盟したわけです。「彼らがソ連時代に味わった苦難の歴史なんて大したことではなかった、最初からソ連に屈服した選択がもっとも素晴らしい選択であったのは明らかである」と、彼らは考えるのでしょうか。

朝香　そういうことなんですよね。その論理から行くと、強権国家がむちゃくちゃなことをやってきたときに結局は抵抗できず、彼らの言いなりになるしかない。別に彼らはそれを認める論理として考えだしたつもりはないだろうけれども、結果的に認める論理になっている。そしてこの大問題に気がついていないというのがおぞましいなと。

茂木　当時のフィンランドの人口はわずかに三百七十万人で、ソ連の一億七千万人と比べると圧倒的な少数でした。従って動員できる軍事力は全く違い、ソ連と戦うという選択肢を選ぶというのは、ウクライナがロシアと戦争していること以上に決定的な落差があった。それでもフィンランドは戦うことを選択して独立を守ったのです。フィンランド軍を率いたマンネルヘイム元帥は、今でも英雄です。

朝香　こうした歴史から、フィンランドは今でも徴兵制を採用し、そのことに誇りすら感じていますが、九条信者からするととんでもない軍事国家だということになるのでしょうか。フィンランドは世界幸福度ランキングでずっと世界一に選ばれている国ですが、そうした幸せな生活を国民がおくれていることよりも、ソ連の一部になって不自由な生活をおくっていた方がよかったと言いたいのでしょうか。

茂木　ロシアによるウクライナへの侵略が始まった直後に、中国の大阪総領事の薛剣（せつけん）氏が、ウクライナ問題から得た「一大教訓」は「弱い人は強い人にけんかを売るような愚かな行いをしてはいけないことだ」というツイートをしました。この大阪総領事の発言と橋下氏やテリー氏の論理は表裏一体ですね。要するに、中国に抵抗するなと。結局は「力による現状変更、強権の論理に従え」ということを意味するんだよと。彼らは、そこはわかっているのかということになりますよね。

朝香　ウクライナ人が戦っているのは、国土の保全のためだけではないということが、彼らにはどうも理解できないみたいですね。私たちの社会は別に何を言ったところで投獄されることもなく、自分の言論というのをつまびらかにできます。移動も自由であれば、職業選択も自由、自分で会社を起こすのも自由、そういう開かれた社会というもののなかに私たちは住んでいます。

この自由な社会を後の世代に引き継いでいく義務というのが私たちのなかにはあると思うからこそ、その社会を守るために軍事力というものが時には必要になるし、ロシアのように強権的な形で出てこられないようにするだけの防衛力は持っていなければいけないということになります。これはもう論理的必然だと思うのですけれども、ところが彼らにはこの軍隊に対する信頼性というものがない。私たちがこんなに自由な社会を享受して守られているというのに、それがあまりにも当たり前になりすぎていて、その自分たちに対するメリットが全く見えていないのです。むしろ自国の軍事力は現体制が自分たちの自由を抑圧するための存在であるかのような勘違いをして、その中から議論を立てていくという非常に倒錯したことが起こっています。

茂木　その倒錯がなんで起ったかっていう一つの説明があります。それはですね、日本はかつて占領されたわけですよね。ある国に六年間に渡って。完全に非武装化されて、今プーチンがウクライナにやろうとしていることをやらされて、まさに奴隷になったわけですよ。ところがかの国は自由主義なもんですから、思想統制は激しくやっていたんだけれども、日本占領政策っていうのがそれほど過酷ではなかった。占領を受け入れたことで飯も食えるようになって戦後復興もできたと考えている人が多くて。だから本来外国に占領されるってことがどれほど過酷かということを日本人は体験できなかった。

それは幸運なことだったのですよ、もちろん。だけどそこのことによって、本当に祖国を守るという意志がなくなってしまったように私は思いますね。だから同じ第二次世界大戦後にソ連に占領された東ヨーロッパの国々がどんな目に遭ったかっていうことについて、多くの日本人には想像力が働かないのでしょう。

プーチンはアメリカの日本占領に学ぶべきだった

朝香　ウクライナに関して言えば、ロシア革命後の悲惨な状況ということからして想像を絶することがありました。一九三二年から三三年にかけてのホロドモールという人工的飢饉は特に有名です。餓死者などの被害者の総数は未だによくわからないのですが、三百三十万人から千四百五十万人が亡くなったという話が出ています。ソ連は近代化の資金が必要だったから、奪った穀物を輸出して、進んだ機械を導入する外貨を稼いでいた。それだけ強奪すれば餓死することはわかっていたけど、それでも強引に奪っていったわけです。「飢餓輸出」なんて呼ばれていますね。

茂木　スターリンは抵抗運動をやった村を全部リストアップして、そこから潰していったんですよ。反抗するウクライナ人を並べて銃殺すると弾(たま)がもったいないから、とにかく封鎖しちゃって、一切食料を与えないということをやったんですよ。

朝香　その残酷さは日本人にはとても想像できないですよね。

茂木　しかもこのことはソヴィエト連邦時代は一切話しちゃいけなかったんです。「そんなことはなかった」ことになっていたから。医者も死亡診断書に「餓死」と書いてはいけなかったんです。ソ連が崩壊してウクライナが独立してから、「実は…」って情報開示されて、ジェノサイド認定の国会決議をしたり、記念碑を作ったりしたのです。

朝香　ソ連の他の場所でも同じようなことが行われていたのですが、ウクライナが特に苛酷でした。一九三二年、三三年が最も厳しかったけれども、別にスターリンだけがやっていたわけでもなく、レーニンも同じようなことをやっていました。

茂木　日本では飢えた日本人にアメリカがパン食で「餌付け」してくれた。こっちも後で日本からお金を取っていたりして完全な援助ということでもなかったんですが、日本人が飢えないようにしてくれたという点では、ソ連とは比べ物にならなかった。

朝香　おかげでしっかりパン食、洋食が広がってしまって、食料安全保障上あんまり好ましくない状況になっているので、給食は全部和食にしろと言いたいですが、ちょっと話がそれたかな（笑）。

茂木　アメリカの占領政策が、それだけ巧妙だったということです。第二次大戦後、ソ連に占領された国々では、ポーランドのポズナニ暴動、ハンガリー動乱、チェコ事件と相次いで反ソ暴動が起こり、一九八九年にはこれが全東欧に拡大して、親ソ政権が一気に崩壊してしまいました。当時、東ベルリン駐在のKGB職員だったプーチンは、これを目撃しています。ロシアがアメリカのような覇権国家を目指すのなら、米軍の日本占領に学べ、と私はアドバイスしたいですね、プーチンに（笑）。

朝香　テリーさんはそういう歴史も知らずに、プーチンに屈服してもウクライナは立ち直れる、と思っているのでしょう。そう言ったほうが人間味があるみたいに思ってもらえそうな空気というのが、日本のなかにはかなりあるってことなんでしょうね。

日本の平和主義者が勘違いしていること

茂木　日本の「平和主義者」が勘違いしていることって他にもいろいろとありますね。ドイツとフランスに挟まれたベルギーという小さな国があります。第一次世界大戦でも、第二次世界大戦でも、ベルギーは中立を宣言していたのだけれども、ドイツはそんなことはお構いなく攻め込んできました。フランスに攻め込む通路だったからです。二度も国土を蹂躙（じゅうりん）されたベルギー人はやっと目が覚め、第二次大戦後はNATOに加盟しました。現在、

ＮＡＴＯ本部はベルギーのブリュッセルにあります。
　一方オランダは、第一次世界大戦の時には総動員体制を取り続けたことが功を奏してドイツの侵攻を迎えずに済みました。第二次世界大戦ではドイツは攻め込んで来たんですが、ロッテルダムが壊滅するまで徹底的に抵抗しました。ドイツはポーランドやチェコでは占領後に圧制を敷いたわけですが、オランダに対してはやらなかった。これはオランダ国民の激しい抵抗が起こることが予見できて、それを恐れたからであるのは間違いないでしょう。

朝香　日本のＧＨＱ統治においても、戦場で自ら命を捨てる覚悟で最後まで向かってくる日本兵の姿に、アメリカが実は恐怖を感じていたために、苛烈な支配にならなかったという側面があったのだという指摘もありますよね。

茂木　それからスイスです。日本の空想的平和主義者は、スイスの永世中立が大好きなんですが（笑）、実はスイスは国民皆兵の重武装国家で女性にも兵役があります。軍事同盟を結ばない中立国ですから、自国の防衛は自国民が担うわけです。金融国家として経済的に豊かな国というイメージがありますが、スイスのパンはあんまり美味しくないという話があります。新しい小麦は備蓄に回して古い小麦を使っているからですが、これは安全保障というものを念頭に置いていて、いつ外敵が攻めてくるかわからないという警戒感を常に保持しているからです。

朝香　スイスは銃の所有率もアメリカ以上に高いそうですね。外敵が攻めてきたらいつでも応戦できるように備えているからです。休日になると元軍人たちが目立つ観光地なんかでパレードを行ったり、演説をしたりしているんですが、いつでも国を守るために立ち上がる心の準備をしているだけでなく、その気構えを外国人に知ってもらおうと努力しているわけです。「スイスを攻めようとしても、わが国民は一致団結して戦うぞ、簡単には降伏しないから覚悟しておけよ」というアピールなんですね。

茂木　列車の中でも軍服を着た人たちをよく見かけますね。軍服を着た兵士がいつも動き回っているということは、やはり外国人にアピールしたいわけです。

朝香　スイスを取り巻く環境を考えたら、もう戦争なんて絶対起きるわけないと思いませんか。それでもこうした「無駄なことはやめよう」なんて発想をスイス人はしないんですよね。今の日本とはあまりにも違うあり方ですが、こういうスイスのあり方から学ぶことってないですかね。

茂木　日本が戦争に巻き込まれることを避けたいと思っているなら、真に大切な姿勢はこういうものだということは理解してもらいたいですね。平和が長く続いたスイスでは、若い人を中心に国防意識が弱くなってきているのではないかという警戒の声も聞かれました。しかしロシアのウクライナ侵攻を受け、スイス政府はロシアに対する金融制裁に加わり、伝統的な中立政策の転換か、と注目されました。

朝香　日本はスイスと違って近隣に北朝鮮とか中国とかロシアとかが控えているわけですから、少なくともスイス並みには国防意識を高めていないといけないんじゃないかと思います。とにかくこのようにいつ侵略があるかもしれないと考え、侵略者が攻めてきたら一致団結して追い払う国民的な姿勢ができているかどうかは、外国が日本を見る目を間違いなく変えることになる。ただひたすら平和を願い、平和を祈って千羽鶴を折るだけで平和が実現すると思うのは、疑問を感じざるをえません。

茂木　こういう点でのリアリスティックな考えというものを、「リベラル」な人たちにもぜひ理解してもらいたいものです。

朝香　テリーさんにはそういう発想はまったくないんでしょうね。武装解除すれば相手だって血の通っている人間だから、そこまでひどいことはしないだろうと、無根拠に思っているんでしょう。だがそれは甘いと言わざるをえない。

茂木　ウクライナ人の激しい抵抗を意外に思っている人たちには、ロシアのやり方のえげつなさが想像できないのでしょう。多くの人命が犠牲になっても、それでもウクライナ人は戦う方を選んだわけです。ロシアに支配されたらどんな目に遭わされるか、彼らは父祖の経験を聞かされて育ってきた。ゼレンスキー大統領や、ロシアが言う「ネオナチ」だかにウクライナ人が銃を押しつけられて、いやいややらされているわけじゃない。彼らは自発的にやっているわけで、それをどうとらえるのかっていうことですよね。

朝香　そのことをさっきのテリー伊藤氏との対談相手になったウクライナ人のオクサーナさんっていう人がやっぱり言っていて、「私たちは大統領の命令で動いているわけではないんです。ウクライナ人が抵抗しなければ、ウクライナという国がなくなってしまうんです」と。

ウクライナ、東欧諸国の「臥薪嘗胆（がしんしょうたん）」

茂木　ウクライナが独立を達成したのはロシア革命のときで、これがすぐに潰されて、スターリン時代にはホロドモール（人工飢饉）でめちゃめちゃにされました。その後、第二次世界大戦の時にドイツのヒトラーがソ連に攻め込んできて、これでソ連から解放されると思って、ウクライナ人たちがナチと手を組んだ。本当に「ハイル、ヒトラー」とかやっていた人たちもいました。それをロシア側は「ネオナチ」って言っているのです。
　結局ヒトラーは負けちゃったのでウクライナ独立運動はまた潰されて、ソ連に報復されて、ずーっと我慢に我慢を重ねて、一九九一年にソ連が崩壊して、やっと三度目の正直で独立ができたのです。それからまだ三〇年じゃないですか。この独立を失ってなるものか、と。

朝香　だからウクライナには「ネオナチ」はいるんですが、この「ネオナチ」はロシア嫌いということが中心にあるわけです。中にはロシア人だけに限らずに有色人種までをも対象にした極端な外国人排斥的な動きを見せる奴らもいるんだけれども、ロシアが問題にする「ネオナチ」はそこを取り上げているわけではない。プーチンはウクライナの「非ナチ化」を求めているわけですが、この「ロシアが嫌だ」というのを「ナチ」だと呼んでいて、ロシア嫌いを力づくで一掃したいという構図が理解できないと、プーチンの言っている意味を勘違いすることになります。そもそも不当なユダヤ人排斥や有色人種の排斥が行われているのがけしからんということを理由として、この正義を実現するためにこそ、ロシアがウクライナに攻撃を仕掛けたんだなんてことはあるわけがない。でも悲しいかな、そう信じている人たちが日本にもけっこういます。

茂木　ウクライナのある世代以上の人はソ連時代を覚えていて、「もうあんな時代は絶対嫌だ、とにかくロシアの支配は嫌だ」と思っている。一部の極端な「ネオナチ」だけが騒いでいるんじゃないのですよ。圧倒的多数のウクライナ人は、「とにかくロシアの支配は嫌だ」ということなんですよね。

朝香　ポーランド、チェコ、スロベニアの首相がわざわざ戦地のウクライナの首都キーウ（キエフ）まで鉄道で行って、ゼレンスキー大統領と会談しましたよね。なんで危険を冒してあそこまで行くかっていうのは、もう本当にソ連、ロシアに対する嫌悪感、脅威というものをひしひしと感じていて、それだけにウクライナを孤立させるわけにはいかないという思いが強いわけです。

茂木　次は自分だと思うからですね。旧ソ連のバルト三国なんかもうどれだけ恐怖に陥られているか。

朝香　そういうこともあるから、バルト三国の一つであるリトアニアとかが、台湾との結びつきを強めようみたいなことをやったりするわけです。台湾が中国から圧迫を受けている状況が肌身にしみて理解できるから、何とか支えるようなことをやりたいと思っている。そうした東欧諸国の置かれてきた歴史や彼らのロシア認識が理解できないのは、相当な問題だと思いますよね。

実際、今強権的な形でロシアが出てくる、プーチンが出てくるということが行われた時に、西側が結束して戦うっていうのは、経済制裁に関してはある程度できるということになった。これは大きな成果だとは思うけれども、一番肝心な軍事のところにおいては、第三次世界大戦になるのは避けなければいけないという理由でもって腰が引けるということが現実に起こっているわけじゃないですか。これを今見せてしまったっていうことは、強権国家が、結局は俺たちが力をもってすれば、小国は逆らえないのだということになりますよね。

茂木　援助はしても介入はしないと。

習近平を固まらせたトランプ

朝香　ぶっちゃけ言えば、ロシアは経済的にはまだ大したことないから、ここまでの制裁ができるっていうことがありますが、では中国に対しても同じだけの制裁ができるのかというと、かなり厳しいでしょう。中国の生産物によって世界の工業・産業が動いているこの状態のなかで、中国に対してそれをやったら返り血が大きすぎるからできないっていう、そういうジレンマみたいなものを真面目に考えないといけなくなっていますよね。中国の強権的な動きを止めなくてはいけないということがあるんだったら、軍事オプションというのはやっぱりちらつかせなければいけないいんじゃないか。

茂木 今回のウクライナの話でいけば、アメリカ軍の最高司令官のジョー・バイデンというおじいちゃんがレッドラインを引き損なったんですよ。

朝香 引き損なったどころか、開戦前から、「ウクライナに米軍もNATO軍も絶対に送らない」と何度も何度も言っちゃった。それに引きずられてNATOのストルテンベルグ事務総長も「NATO軍の介入はない」と言っちゃった。プーチンから見れば、ウクライナは自分の思い通りにしていいと西側がお墨付きを与えてくれたと思っても仕方ない。

茂木 これはゼレンスキーから見れば「バイデン、裏切ったな!」って話ですよね。だから戦争を防止するときにはやっぱりレッドラインを引くっていうのはすごく大事なんだけれども、どこまでやったら米軍やNATO軍は介入するのかっていうことを、未だにバイデンははっきり言わないんですよね。

朝香　有耶無耶(うやむや)ですよね。と言っても、オバマが大統領だった時は一応レッドライン引きながら、破られても動かなかったですけどね。

茂木　そうそう、シリア軍の化学兵器使用の時はそうでした。

朝香　だからレッドラインを引いてもどうせ動かないんだろうって、シリアはアメリカを見下すようになって、それで「そんなの関係ねえ」みたいな感じでどんどんエスカレートさせてしまった。トランプが大統領になったら今度は逆にちゃんと空爆してシリアをびびらせたのに、トランプはマスコミにめちゃくちゃに叩かれました。

茂木　でもあれで平和になった、逆にね。しかもあのとき習近平がアメリカ訪問中で、習近平がチョコレートケーキを食べているときに耳元で「今、シリアに五十九発のミサイルを発射したよ」って伝えてみせた。習近平はすぐに反応できなくて一〇秒ほど固まった(笑)。いつもは後ろに官僚がいるのに、そのときは誰もいなかったと。

朝香　それで結局「幼い子供や赤ん坊に対して化学兵器を使ったやつに対してなら仕方がない」って、結局トランプの行動に習近平がお墨付きを与えるという、中国の立場からすれば大失態を演じてしまった。トランプは喧嘩上手ですよね。

茂木　あのときもそう。金正恩がバンバンバンバンとミサイル撃ったときに、トランプが「君、最近ずいぶん撃っているけど、うちの核兵器は君の何百倍もあるんだよ、わかっているよね」という親書を金正恩に送りつけました。これにビビった金正恩は、板門店でトランプとの首脳会談に応じた。やっていることが本当にヤクザですよね（笑）。

朝香　そういう喧嘩上手ぶりがないといけないんですよ。実際あの時も北朝鮮のミサイルが止まりました。民主主義とかっていう話になると、みんなで議論しましょうみたいなところしかなかったりするんだけれども、この体制を守り切るためには、拳を隠し持ってないといけないんですよね。それで必要があったら、やっぱり拳を表にボンと出すっていうのが、これが絶対必要なんだけれども、その拳を出すっていう行為がお上品に見えないからか、もうそれだけで批判対象になってしまう。普段は使わなくても、最後にカードとして出せる状態にしておくというのは、民主的で自由な社会を子や孫に引き継いでいく責任という点では欠かせないわけです。

日本人の平和ボケを覚ましてくれたプーチン

茂木　そういう国際政治の常識を知らずに過ごしてきた日本人ですが、今回のウクライナの件で軍事力がやっぱり必要だということに結構多くの人が気付いて、冒頭で紹介した毎日新聞の世論調査のような結果になりました。日本人の平和ボケを覚ましてくれたプーチン閣下に、心から御礼を言いたいですね（笑）。一方、そんな状況にうろたえている姿を無様にさらけ出している人たちもいる。

朝香　ウクライナのゼレンスキー大統領の国会演説を日本でもやらせてくれという話に、立憲民主党の泉健太代表の言ったことなんか、全く意味がわからなかった。「国会演説の前に首脳会談と共同声明が絶対条件だ」と。なぜそういうものが必要だと言えるのか、さっぱりわからない。国会演説をさせないためにハードルを何としてでも作らないといけないと思ったのか、論理的に筋の通らないことを言い出した。

茂木　ゼレンスキーに国会演説やられたら、国を守るための軍事力は必要だという方向に日本人の意見がぐっと引っ張られてしまう。それは何としても阻止しないといけないと、あたふたしたのでしょう。

朝香　泉健太の発言でおかしいのは、核シェアリングの話を否定するのに、「核兵器を持っていたからといって、通常兵力で攻めてきたときに核で報復攻撃はできない。持っていても使えない兵器が核兵器だ。だから持つべきではない」という。この人は頭良くないのかと思ったけど、苦しまぎれの論理展開だったのですね。

ロシアは今回、場合によっては核兵器を使うぞと、核を持たないウクライナを脅してきたわけでしょう。私たちが言っているのは、どの国であれ、核の脅しを我が国に対して仕掛けるということが絶対にできない状態にする、抑止力のために核を保有するべきだというとことであって、相手を叩きのめすために核をどんどん使ってやろうみたいなことを考えているわけではない。だがそういう方向に議論がいっているように歪めて否定しようとする。議論の捻じ曲げがあるわけですよ。

茂木　現体制はそういう不埒なことを考えかねない邪悪な体制なんだという思い込みが根っこにはあるんでしょうね。そんな体制に強い軍備をもたせるのは危険だ、絶対にやめさせろということでしょう。

朝香　それともう一つ、左派＝「リベラル」派の人たちが思っていることとしては、権利の主張はいろいろするけれども、それに伴う義務について頭から抜け落ちているっていうところがあると思うんですよ。一般には憲法上は三大義務として、教育の義務（教育を受けさせる義務）、勤労の義務、納税の義務を謳っていると言われていますが、実はこれと並ぶ義務が憲法にはもう一つ書かれています。それは憲法の第十二条に書いてあって、「この憲法が国民に保障する自由及び権利は、国民の不断の努力によって、これを保持しなければならない」というものです。国民すべてが自由と権利を享受できるこの社会の基本的なあり方を子々孫々に引き継いでいく不断の努力が、国民の義務として求められているのです。ところがこの義務のことが日頃は意識されていない。むしろそういう部分は去勢されているんじゃないでしょうか。

茂木　プーチン体制のロシアは一九九九年にチェチェンに攻め込んだ。二〇〇八年にはジョージアに攻め込んだ。二〇一四年にはウクライナからクリミア半島を奪った。細かいことまで挙げれば、もっと数多い軍事作戦を展開している。プーチン体制に不都合な人物は、政治家であれ、ジャーナリストであれ、次々に消されていった。こういうことがあるたびに西側は厳しい言葉で「遺憾の意」を表明したりするものの、プーチンの「力の論理」を本気で止めようとはしてこなかった。プーチンが「力の論理」を今回ウクライナ本土にも平然と持ち込んだのは、「力の論理」を本気で叩き潰そうという意志が西側に欠けていたことで、プーチンに西側がなめられていたということが大きいわけです。

朝香　今回のウクライナ紛争では、「ロシアがウクライナに攻め込んできたら参戦するぞ」

と仮にＮＡＴＯ軍や米軍が事前に表明していたら、プーチンがそれでもウクライナに攻めていったかといえば、恐らくなかっただろうと思います。もちろんそれはやっていない以上どうだったかわからないというのが正解かもしれませんが、それでも西側諸国と強権国家であるプーチン・ロシアとの間で肝っ玉を戦わせているところが現実にあったと見るべきでしょう。

「民主国家は戦争になるといったら国民の中で大きな反対が生まれるに決まっている。『第三次世界大戦になるかもしれないじゃないか、俺たちの命もあぶなくなるじゃないか、そんなことは絶対にあってはならない』……そんな声が民主国家の中では沸き起こって、どうせ民主国家の奴らは強い態度に出られるわけがない。だから自分たちが『力の論理』で押し切れば、押し切れるに決まっている」――そうプーチンが考えてウクライナを侵略したであろうことを、我々は理解しないといけないんです。我々が強権国家に肝っ玉で勝てなかったら、やられてしまうということがはっきりと見えてきた。

茂木　この点に本来は議論を進めなければいけないんだけれども、そんなことをしたら俺たちが死ぬかもしれないから嫌だし、目くじら立てなければ今まで通りに経済活動ができるからそれでいいじゃないかという情けない姿を、相変わらず日本人はさらしているような気がしますね。

朝香　左派＝「リベラル」派の人たちの中では、自由と民主主義が確保され、基本的人権が尊重され、法の支配が確立している現体制が非常に恵まれたものであるという、そのありがたみが正当に評価されていない。何を言っても許され、政府の悪口が当たり前のように言える社会にいるということが本当に奇跡なんだ、これはきちんと使命感を持って守っていくべき大切なものなんだということが見えていない。だからこうした社会を子々孫々に引き継いでいく義務など考えないどころか、むしろ現体制がろくなもんじゃなくて叩き潰した方がいいと考えて、現体制のあら探しを一生懸命やっていたりします。しっかりとした武力を準備して強権国家を牽制できるようにすることが逆に危険行為だということになり、結果として強権国家を利するような動きになっても、そのことはあまり気にならない。

日本の社会を、叩き潰すべきどうしようもないものだと思いながら、逆に「力の論理」を振り回すプーチン、習近平、金正恩らは、問題解決のために話し合いのできるちゃんとした相手だと考えている。このように守るべきものと攻めるべきものとの間で、ものすごい逆転現象が起こっているわけです。それなのに自分たちは大変な善人なんだと思い上がっている。良心を持つなら左派＝「リベラル」派の立場に立つのが当然で、これに反対する保守派の言論などは封じ込めないといけないと考えている。こうした倒錯がなぜ起こるのかを究明することは、現代的な課題として実に大きな意味のあることだと言えるでしょう。

第二章

ハッキリ見えた「リベラル」の落とし穴

当たり前の人間理解が出来ない人たち

茂木　朝香さんが共産党員だった時って、現体制に対してどんな思いを持っていたのか、教えてもらえますか。

朝香　やっぱり「今の世の中は狂っている」という思いですね。企業は「社会のため」「人々のため」なんてことを打ち出しはするが、本気で考えて追求している会社なんてほとんどあるわけがない。「社会貢献しています」みたいなことを口にはしているけれども、本当はそんなことは真剣には考えていなくて、自分たちの利益こそが大事なんでしょと。本音と建前みたいなものを使い分けしながら、本当はお客さんのためにやっているわけでもないのに、お客さんのためであるかのような顔をして動いていたりする。私的利益と公的利益があったときに、本来であれば人間は公的利益のために動くのが美しいのに、私的利益の追求のために醜い姿を晒(さら)している。これは本来の人間の姿とは違う。そんな思いです。

茂木　なるほど。

朝香　そういうあるべき社会の形があるのに、それができない社会体制というのが資本主義なんだという、そういう理解をしていたわけですね。なんでかと言ったら、そこに利潤原理というものがあって、そこで資本主義的競争というものが強いられる形になっていて、どうしてもその競争で勝つために、私的利益というのを大切にせざるを得なくなる。その結果として公的利益というものが後ろに追いやられてしまって建前ぐらいにしかならない。そんな社会がそもそも正しいのか、全然違うのではないかという思い込みがあったのですよ。

茂木　そういう義憤、怒りがあったと。

朝香　人間の本来のあり方としては、まわりの人に喜んでもらうことをやるのが人間の生きる喜びだと思うのに、それよりも私的利益を重視しなければいけない。それどころか、私的利益の追求が社会の中心原理になっている。そんな世の中を肯定するなんて、そもそも人間のあり方として出発点から腐っている。こんな汚れた世の中なんて絶対に認められないという、そんな感じなわけですよ。こんな世の中を守るために存在している軍隊とかも汚らわしい。そういう感じで軍事を考えていたわけなんです。

茂木　ある腹黒い店長がいます。なるべく客からふんだくって儲けてやろうと思っています。客がたくさん来て欲しいから、かわいい女の子を店員に雇ってですね、いつもニコニコ接客するように指導して、それなりによいお料理を出してですね、お客さんはとても喜んでお金払って帰って行きましたと。これは客にとってはよい思いをしたので、満足じゃないですか。別に騙されたなんて思っていない。これが「邪悪な」資本主義社会なのですね。

一方で、「公的利益」のために店も店員も働くべきだとした社会主義国においては、もう店長も店員もみんな無愛想になって、自分の儲けにならないからどうでもいいと思って客をモノ扱いしちゃいましたよね。これは旧東ヨーロッパとかソ連とか中国みんなそうですけれども。つまり腹黒いかどうかはどうでもいいんですよね。金儲けの手段であっても、お客さんがそれでいい思いをすればいいじゃないですか。そんな風に僕は思っちゃうのですけども。

朝香 いや、まさにね、そうなんですよ。そこがすごく大事なところなんです。資本主義がそういう点で汚いとかよく言われるんだけれども、でも、資本主義はお客様に奉仕しないとお客様からお金がいただけないという仕組みになっているわけなんですよね。ところがそれ以外の社会体制というのは、トップの権力者に対して媚びを売れば他は関係ないよっていう社会になってしまっている。社会主義だって労働者階級のためとか、そんなことを建前としては言っているけれども、結局は計画経済という枠組みに規定されて、中央の指令が一番大事っていうことになってくるので、中央との関係をどう取り持つかによって自分たちの経済的環境というのが大きく変わってきます。だから結局中央に対してペコペコしながら、肝心なお客さんの方は向かない。

　しかも、決められたことを決められたとおりにやりさえすれば、給料は当然もらえるよという状態になってるなかで、個人の自発性でもって「ここをこう変えた方がいいですね」とか、「ここをこう直しましょう」なんて提案すること自体が、「そんな面倒くさいこと持ってくるな」って話になっちゃったりするわけなんですよね。そんなおかしなことがなんで起こるかと言ったら、人間は確かに公的なもののためだけに生きているという姿は非常に美しいんだけれども、でも人間は、公的なことも考えながらも、自分の私的な利益もやっぱり捨てられない存在なんですよね。この当たり前の人間理解が、左派＝「リベラル」派の人たちにはできないんです。

茂木　それで「この世の中はどうしようもない」って思い込んでいるから、この世の中を否定する言論は正しくて、肯定する言論はクソだと思っているわけですね。

朝香　人間の習性として、長所よりも欠点のほうが目に付きやすいってことは、もともとあるじゃないですか。当たり前のよさなんて、当たり前すぎてよさだと認識できない。そこであれもダメだ、これもダメだ、ダメダメだらけでとんでもない世の中だって考えちゃう。

人は「腹を割って話せば通じるはず」ない

茂木　自分の好きな女の子がね、何かがあって落ち込んでいると。その子を心の底から慰めてあげたいとも思うけれども、これをうまく利用して自分の彼女にできないかな、みたいなヨコシマなことも、男というのは考えたりするじゃないですか（笑）。人間はそういう両面を持った上で生きている存在なので。

朝香　そうなんですよ。人間というものは常に私的利益というものを捨てられないで生きているんです。手抜きしたい、面倒くさいことはふっ飛ばしたいなんて思ったりもする。そんなのは社会体制がどうであっても、人間の本質からいって変わりっこない。嫉妬心の強い人もいれば、疑り深い人もいれば、虚栄心の強い人もいる。根気のない人はザラだし、カネや権力に弱い人もたくさんいる。人間の持つ欠点なんてそれこそ山ほどあり、そうした欠点を大いに抱えた人間が作り上げているのがこの世の中というものです。だから公的利益だけのためにすべての人間が生きるなんてことは、空想の中でしか存在しない。ところが左派の人たちは、「いや、社会体制が歪んでいるから人間はそうならざるをえないのだ」という捉え方をしている。だからそれは人間に対する正確な理解から外れていて、現実に適応しないことになってしまう。

茂木　彼らは性善説だと思うのです。本来人間は良きものであって、喧嘩するのは何か行き違いがあるんであって、だから心を割って話せば、酒酌み交わせばわかるんだ、プーチンだって習近平だって金正恩だって、同じ人間なんだから話は通じるはずだ、みたいな。こういう人間観があるように思いますね。安保法制反対運動をやっていた「シールズ」（自由と民主主義のための学生緊急行動）なんてその典型ということでしょう。

僕は真逆の考え方で、基本人間は悪であると（笑）。悪である人間と人間とが最低限の妥協をするために交渉するのであって。交渉するときにはやっぱりこちらの力を示さないと向こうは折れないという考え方、リアリズムっていう考え方ですけども。そこだと思うんですね、根本的に。

朝香　左の方向に走る人って、全員とは言わないですけど、わりと人間的にいい人が多いと思うんですよ。私も左にはまった人間なんで、人間的にいい人なんですけど（笑）。

茂木　私、悪い人（笑）。

朝香　彼らをもう少し善意から解釈することも一応はできるんです。「人間はそういう弱さを持った存在であるから、社会体制がその欠陥を補うようなシステムを備えていないといけないのだが、今の社会はそういう点で甚だ不十分だから、抜本的に作り変えなければならないんだ」なんて考えちゃうわけですね。こっちの考えであっても、社会体制が悪いから、人間の邪悪な部分が出る汚い社会になってしまうという結論は変わらないわけですが。

茂木　そういう観点から見ても、資本主義って実はなかなか優れていると思うんですよ。例えばケチな牛丼屋がいましたと。最近肉高いから肉をどんどん減らしていこうと。値段はそのままで肉を減らしていって、タマネギとつゆだくみたいなそういう牛丼を同じ値段で出すじゃないですか。そうすると客はですね、なんだこれはって、ふざけるなって言って、その店に来なくなるじゃないですか。だからケチが本当にケチにやっていくと、結局利益にならない。それで潰れることになる。これが資本主義です。

朝香　サボりたくても納期があるからサボれない。いい加減な仕事でごまかしたいと思っても、信頼を失うのが怖いから、相手が納得するレベルにまでは引き上げて仕事をしようとする。お客さんに納得や満足を何とか与えないと生き残れないという中で、一定以上の質を確保するように動かざるをえない。

茂木　結局いい加減なことをやっている奴らは、淘汰されるんですよね。これがマーケット（市場）原理、「神の見えざる手」というものです。これに気付いたのがアダム・スミスっていう人ですね。アダム・スミスはエゴの抑制は必要だという前提の上で、人間の持つ利他心、利己心の二面性をともに肯定する議論を展開しました。各人が利己心に基づいて行動しようとしても、市場原理が働いて必ずしも思ったとおりに行くわけでもなく、結果的に社会のバランスが取れていくように動いていくマーケット原理が働いている中では、各人が利己心で行動しても世の中の需要が適正な価格で満たされるようになっている。左派はこの市場原理を信用できず、何でもかんでも人間が設計しようとして失敗を繰り返す。その点で左派っていうのは、人間観が非常に浅い。

朝香　そうなんです。人間観が非常に浅い。さらに厄介なのは、落ち込んでいる人に対して「悪いのはあなたではない。悪いのは周りの人たちだったり、社会だったりするのだ」という持って行き方は、慰めるのに最も効果があるということです。人間誰しも自分がかわいいから、こういう慰め方が感情的には最も受け入れやすい。だから、人間の持っている醜い側面は外部のせいだとして、その人自体を責めないあり方は、人間的な愛情とやさしさに溢れたものに見えてしまうところがある。相手の表面的な欠点をそのまま責めるわけではなく、「それは実は君が悪いわけではない」って言ってもらえたら、単純に嬉しいですよね。しかも表面的に見えるところにとどまらない深い人間理解に基づいているように勘違いしてしまうところもある。

茂木　悪い奴はそういう慰め方を意図的に使いますね（笑）。

左派政権はなぜ失敗するのか

朝香　私は先ほど「お客さんに納得や満足を何とか与えないと生き残れない」って話しましたが、こういうと「いやいや、アコギな会社もあるではないか」ということを指摘する人もいるんですが、それはマーケットが不完全にしか機能していない部分もある（他に十分な選択肢がない）とか、公正さを確保するまっとうな取引ルールが不十分なところもある（現在の消費者保護規定でカバーしきれない取引もある）といった問題にすぎなくて、資本主義だからこそ出現する根本問題ではないんですね。

茂木　ところが最初から「資本主義はろくでもない」という偏見で見ると、社会で生じる問題について性格分けをして冷静に理解しようという意識が働かず、何でもかんでも「資本主義が悪い！」ってことになってしまう。

朝香　実際私たちが街中で買い物をするといった場合に、とんでもないボッタクリに遭うなんてことはめったにないですよね。アコギなボッタクリが社会全体に蔓延しているというわけでもないんですよ。お店の中には消費者が快適に過ごせるようにBGMが流れていたり、照明や商品の陳列にも気を配っていたり、清潔感というところで言えば、街中のお店はトイレの清掃まで入念にしていたりするじゃないですか。トイレが汚かったら一発でアウトで、お客さんは二度と来てくれなくなる。こういう感じでマーケット原理の中でお客さんから支持されるようにいろいろと気配りをしていて、それによって私たちの暮らしはとても快適なものになっているんだけれども、それがあまりに日常的で当たり前になってしまっているので、そのありがたみが左派の人たちには意識できないんですね。

茂木　これに関連して言うと、近代の思想家で言うとルソーっていう人が私は鍵になると思っているのです。この社会というものは理性によって全部設計できるというわけです。だから優れた指導者や指導集団に全て委ねれば、素晴らしい社会が成り立つというヤバイ思想ですね。

朝香　ルソーは「意志」というものを3つに分類しました。「特殊意志」「全体意志」「一般意志」です。各人は各人の立場に立った「特殊意志」というものを持っていて、通常の多数決ではこの「特殊意志」をバランスよく調整することしかできない。この調整した意志は「全体意志」ということになるが、だが社会としては本来こうあるべきだという理想を目指す「一般意志」と、こうした全体の利害を調整した「全体意志」とが一致することは起こりえない。それでも健全な社会のためには「一般意志」が実現できる社会体制が必要なのであり、せいぜい「全体意志」しか実現できない現行の社会制度は乗り越えるべき対象になるという考えですね。

茂木　個々人の私利私欲である「特殊意志」を多数決で統一しただけの「全体意志」では、社会全体はよくならない。個々人が私利私欲を捨てて、ただ公共のために生きようという「一般意志」が必要であると。この「一般意志」は万人が等しく持っているので、多数決なんかいらない、というナゾ理論です。

朝香　どうすればそこに近づけるのかって考えるのは大事だと思うんですが、根本的には人間が人間である以上無理なんですよね。そこのリアリスティックな人間理解というものが完全に欠落しているというのが左派の中には間違いなくあります。

茂木　朝香さんの私利私欲と、私の私利私欲は当然違う。ところが公共のために生きるっていう部分の「一般意志」は我々の間でも共通のものとしてあり、これはたとえば日本人全体として見たり、世界人類全体で見ても共通のものであるから、それについてはもう話し合う余地もない。だから議会政治もいらないっていうのがルソーの結論なんですよ。その「一般意志を体現する優れたリーダー」が国家を運営すれば、理想国家を実現できる。

朝香　ルソーの考え方と共産主義の考え方は親和性が強いですね。私たちが普通頭に思い浮かべる民主主義は、多数派の意見を中心としながら少数派の意見も汲み取ってバランスを取っていくというものですよね。これは個別の「特殊意志」に配慮しながら、「全体意志」を実現していくという感じですが、こうしたあり方を共産主義者は否定します。社会全体にとって何がいいのかは「一般意志」の観点で明らかだから、これを実践するのが正しいあり方で、これこそ「真の民主主義」だと考える。

茂木　習近平は中国のあり方を「全過程人民民主」だと言っているし、北朝鮮の正式名称も「朝鮮民主主義人民共和国」ですね。彼らからすれば、西側民主主義を超えた「理想の民主主義」が俺たちの社会では実現しているのだとしているわけです。

朝香　共産主義の是非は別としても、このルソー的な「一般意志」の実現こそが目指す理想だという思いは、左派には多いと思います。直感的にも、「全体意志」の実現にとどまっていていいのか、「一般意志」の実現こそが望まれるのではないかというのは、理念的にはそのとおりとも言えるわけですから。

茂木　そもそも今の民主主義では、業界団体の推す自民党が勝ってしまう。そのあり方はどこか間違っていると最初から思っている。そんな気持ちもあるんでしょう。

朝香　だが「理想」とされる共産主義においては、実際には生身の人間が「一般意志」を実現するために動くことになるから、その「一般意志」であるべきものに権力者の「個別意志」が色濃く反映することになる。

茂木　そして権力はやがて腐敗する。

朝香　レーニンは権力分立の問題を階級的視点から考察して、実に乱暴な議論を展開しました。社会主義になれば労働者階級が政治権力を掌握しているから、司法・立法・行政の間で抑制と均衡を図る必要などないのだ、どの部門も労働者階級のために機能するから、権力分立をする必要などない。これをルソー的に解釈すれば、司法・立法・行政のどの部門も「一般意志」を実現するように動いているから、互いに監視し合うようなシステムは不要であるということになります。

茂木　その結果としてノーメンクラツーラと呼ばれる共産党幹部、新たな特権的支配層が生み出され、彼らが一般国民を支配するという構造を作り出すことになった。彼らが善意からこういう理論を構築したのだとしても、そんな体制を導けばやがて権力が腐敗するのは避けられないではないですか。特定の権力者、権力層に権力を集中させるというそのあり方は、どんな能書きをたれたところで認めてはいけない社会体制だということになります。

「共産主義自体は間違っていない」にすがる人たち

朝香　そもそも人間というのは本来向いている方向がバラバラな存在なのであり、社会としての正しいあり方を規定してその方向に全体を動かそうというのは現実的ではないわけです。特定の個人が全体を把握してすべての問題について正しい方向を打ち出せるというのも無理があります。この点については仮に集団指導体制であっても、根本的には変わりません。

茂木　だから彼らが権力を握ったときに、現実離れした政策を立案してだいたい失敗するんです。

朝香　それでも失敗を認めることはメンツの観点から許されない。今、習近平がコロナ対策でドツボにはまっていますよね。自国で開発したワクチンが有効であることを前提に、予防接種を強制的に行ってきたが、実はこれが全くと言っていいほど効かない。中国製のワクチンが効かないものだということが白日のもとにさらされるのを嫌ってか、強烈なロックダウンを相次いで行っている。「西側と違って厳格なロックダウンができるのが、わが体制の優位性だ」と主張している。だがそれは庶民の生活を破壊することにつながる。権力が怖くて二年間はおとなしく従ってきた人々が、もう耐えられないということで、各地で暴動を起こすようになった。

茂木　だから失敗するとスケープゴートが必要になる。「ニセ情報を持ってきたやつが見つかった！」とか、「党内に裏切りものがいる！」とかって言い出すんですよ、必ず。それで粛正になるんですよね。共産党政権が必ず粛正するっていうのはそういうことだと思うのです。

朝香　共産党政権の粛正の話でいけば、彼らはもともと戦いのなかにいるという認識なんです。そもそもが資本主義との戦いのなかで自分たちの存在価値があると思っているわけですから。自分たちが政権を取っても、「資本家たちがいつ反革命をするかわからない」みたいなことを思っていて、「やつらはそのために自分たちのなかにスパイを送り込んでくるに決まっている」と思い込んでいる。こういう点で極度の人間不信に陥っている。面白いですよね。性善説を掲げながら結局、極度の人間不信になるという。

茂木　だからこんなはずじゃなかったって、そっちへいっちゃうんでしょうね、たぶん。

朝香　そうなんですよ。だから「一般意志」の実現を目指すというのは理念的にはいいんだけれども、現実に「特殊意志」や「全体意志」を無視して突っ走るというのは危険極まりないんです。そして彼らが結構見落としているのは、「全体意志」の実現しかできないとされている現行の民主主義制度の中で、「一般意志」も結構実現されることになるという視点です。

たとえばごみ処理施設の新設はどこでも嫌がられるものだけれども、日本国内には一応必要な数は設置されていますよね。ごみ処理施設を新設するというのはどの地域の「特殊意志」でも拒絶するものだし、そうした「特殊意志」の集合体の「全体意志」というレベルで考えても、設置は見送られることになるはずです。それなのに、現実にはちゃんと必要な施設として設置されている。
　迷惑施設の受け入れをしてくれる地域に特別な経済的利益を与えるような政策は、「利権」の一言で悪の代名詞のように扱われがちだけれども、地域の「特殊意志」を汲んだ上での調整的な役割を持っているわけです。今後も必要になった場合には、いろいろと面倒くさい手続きを経ながらも、「特殊意志」の調整が行われて、最終的には実現していくことが予想されます。迅速には変わらないから、そこに不満が生まれることもあるけれど、時間とコストをかけながらも、「一般意志」が実現していく過程を現行システムが実は備えているという点に、左派はもっと注目すべきだと思うのです。

茂木　ここにも左派の人間理解の浅さが露呈しますね。

朝香　共産主義のことで言えば、反革命を叩き潰さないといけないという思いは、疑心暗鬼を含めて彼らの中で消せないものであり、そのなかでドツボにはまっていく。そういうことを歴史的に繰り返してきたということは、決して軽視していい話ではないのです。共産党の人たちは、スターリンがいけなかったんだ、毛沢東がいけなかったんだみたいなことばっかり言って、共産主義そのものは間違っていないと主張するんだけれども、実は共産主義思想そのものに構造的欠陥があったことを直視しないといけないんですよ。スターリン、毛沢東が仮にいなかったとしても、その代わりになるやつが絶対出てきて、同じことをやっているんだよと。そもそも彼らが美化するレーニンにしたって、ちゃんと調べれば相当ひどい虐殺もやっていたことがわかる。そこに対して真摯な反省をしたら、私みたいに共産党から出ないとダメなんですけど（笑）、彼らはその点で真剣なフリしかしていないんですよ。

茂木　共産主義社会が生まれる前からこういった「一般意志」を実現させる社会体制を目指すのが正しいと考えるメンタリティーはあって、決して共産主義に特有の話でもないというところも理解しておきたいですね。たとえばフランス革命のときのあの凄まじい殺戮、あれが起こった理由はこれですよ。

第三章

「リベラル」が見なかった「革命の真実」

「リベラル」はフランス革命を卒業できない

朝香　凄惨な殺戮が相次ぎ、社会的混乱に包まれたことから、フランス国内でもフランス革命はあってよかったのかという議論があるぐらいなのに、そういうことは日本ではあまり知られていないですね。

茂木　七月十四日にパリ市民がバスティーユ牢獄を襲ったじゃないですか。バスティーユって政治犯の牢獄だったんですけど、そのときにいた囚人は一人なんですよ、実は。

朝香　そうなんだ（笑）。

茂木　空っぽなんですよ。つまり、ブルボン王政ってその程度のゆるい体制だったんです。ところが革命になったらもう政治犯で溢れかえっちゃって、王宮を臨時の刑務所にするとまでやってぶち込んで、次々にギロチンで首を切ったんですからね。まさに凄まじい殺戮です。

朝香　ロシア革命のときもツァーリ（皇帝）の恐怖政治の打倒なんてことが言われていたけれど、実は政治犯の数なんて大したことなかった。レーニンは政治犯として収容されていたこともあるんだけれど、読書三昧の日々を送っていた。毎日拷問にかけられていたなんてことはまるでないんです。

茂木　革命後の方が遥かに恐怖政治となったということでは、フランス革命もロシア革命も同じですね。

朝香　フランス革命の時のフランスの恐怖政治を代表する人物といえばロベスピエールですが、彼は高い理想を持ち、非常に愛情深くて、貧しい人々や虐げられた人々に対して強い同情を寄せる人物でもありました。高潔で生涯童貞を貫いたとも言われていますよね。

茂木　彼もまたルソーの熱狂的なファンで、「一般意志」の実現のために動いた。その結果がギロチンを使った恐怖政治だった。ここにもルソー的な考え方の怖さが潜んでいると思います。

朝香　こういう点で見た場合に、左派が否定したがる現体制というものが、実はかなり大切なものであることがわかります。ただそれが当たり前のものとして存在しているがために、その果たしている肯定面が意識されにくく、逆にその中に見えてくる欠陥にどうしても注目しやすくなる。そこであれもダメだ、これもダメだ、だから抜本的に取り替えないといけないんだという方向に陥っていく。その病理に左派は残念ながら気付けない。自分たちこそ善良なのだと勘違いしている。だからフランス革命を卒業できない。実に悲しい話です。

フランス革命については残酷で大変な社会的動乱ということもあるんだけれど、そればかりではないですよね。

茂木　面白いところでは、貴族の土地を没収して分配しちゃったから、小土地所有農民っていうのが多数派になった。その結果、彼らが保守化して社会主義に抵抗したというのは面白い変化ですね。

朝香　自立して食べていけるようになった。自分の才覚で儲けられるようになった。

茂木　都市に集まった労働者が時々暴れるだけで、それは農村部に広がらなかった。労働者たちは社会主義を目指したりもするんだけれど、農村においてはここから先の変革は必要なくなっちゃった。むしろ社会の安定を求めるようになったわけです。

朝香　日本でもそれと同じようなことが起きましたね。

茂木　敗戦後、ＧＨＱの農地改革によって一気に保守化しましたね。

「戦前は暗黒時代」というウソ

朝香 あの農地改革案は実は戦前から農林省の中にはあったんですよ。戦後の幣原内閣の時に農林大臣に抜擢されたのが自作農主義者の松村謙三で、松村が農林次官に同郷の一年後輩の河合良成を起用しました。河合は農商務省の官僚だったこともあるんですが、米騒動の責任を取って退任して民間で活躍していた人物です。農政局長には、治安維持法違反で検挙され、終戦直後に無罪を言い渡された和田博雄を据えた。バリバリの農政改革派が重要ポストを占め、農地改革案をマッカーサーの占領軍のところに持っていったんです。幣原内閣の後に第一次吉田内閣が成立するのですが、この時に和田が農林大臣になって農地改革を進める流れになりました。

茂木 和田が検挙された治安維持法違反事件というのは「企画院事件」ですね。戦時中の統制経済を立案する企画院に集まっていた社会主義者が一斉検挙されたものです。戦後は一応「冤罪」ということにされたんですが、本当に冤罪かどうかは怪しい。実際に和田は社会党に入党し、左派社会党の政策審議会長や書記長に就任しています。左派社会党ってマルクス主義じゃないですか。短命だった社会党の片山内閣においても経済安定本部総務長官となり、「傾斜生産方式」として知られる戦後の経済復興政策でも力を発揮しましたね。

朝香　戦前はバリバリの天皇制国家で、社会主義なんて口にすることもできなかったと思っている人が多いと思いますが、実は全く違っていて、社会主義が花開いた時代だったんです。「大正デモクラシー」ってよく言いますが、あれは実は「大正コミュニズム」と言ったほうがいいくらいなんですよ。もちろん政治運動として、共産主義運動をバリバリやるというわけにはいかなかったわけですが、社会大衆党なんて無産政党は、帝国議会の第三党に躍進したりもしていました。この社会大衆党には隠れ共産党員も多く入っていました。

茂木　『ビルマの竪琴（たてごと）』で有名な竹山道雄は『昭和の精神史』の中で「インテリの間には左翼思想が風靡して、昭和の初めは〈アカにあらずんば人にあらず〉という風であった」と書いていますね。小説家の杉森久英は『大政翼賛会前夜』で「私の学生時代は昭和初年で、思想界はマルクス主義一色に塗りつぶされていた」なんて書いている。

　治安維持法やら特高警察やらが社会主義運動を弾圧した暗黒時代、というイメージは間違いです。弾圧されたのは日本共産党や無政府主義者だけで、むしろマルクス主義者は国家権力の中枢にまで入り込んでいた。

朝香　『貧乏物語』の執筆や資本論の翻訳で知られる河上肇（かわかみはじめ）は、当時を代表する著名なマルクス経済学者でした。理論的にはマルクス経済学の見地からしても首をひねりたくなるところがあって、金持ちが贅沢をやめれば貧困がなくなるというとんでもない議論をしていたのですが、それでもなんと京都大学の経済学部長になっている。この一件でも社会主義勢力が当時のアカデミズムにおいてかなりの力を持っていたことがわかりますね。

茂木　社会主義に傾倒した近衛文麿は河上肇にあこがれて、東大を中退して京大に入学し直しましたね。戦後もですが、戦前の学術界もまた、文系は赤い勢力が席巻していた。

朝香　そして大学で赤く染まった学生が、卒業してマスコミや官庁にどんどん就職していった。だから当時のマスコミも真っ赤っかですよ。「戦前は軍部に協力して右寄りだったが、戦後はその反省から左になった」というのは、実に表面的な理解です。内務省警保局が出していた「特高月報」によると、当時随一のオピニオン誌だった『改造』が「日支事変に就て種々論議を重ね（中略）結局協議の結果、帝国主義戦争である日支事変の性格暴露、日本金融ブルジョワジーの弱体化、中共の強大性に関する評価宣伝等を中心議題として執筆編集せしむることに結論」したと書かれている。完全に共産主義に基づいた編集方針が貫かれていた、会社全体が真っ赤だったことがはっきりわかる内容ではないでしょうか。

日本でも実践された「敗戦革命論」

茂木　その記事が特高月報に掲載されたのはいつですか。

朝香　終戦に近づいている昭和十九年八月です。私たちの認識では最も厳しい言論統制が行われているさなかの話ですが、ここまで露骨な共産主義に貫かれていたわけです。ゾルゲ事件で尾崎秀実（ほつみ）がソ連のスパイとして捕まって大騒動になりましたが、はっきり言って尾崎秀実は氷山の一角でしょう。農林省の中にも地主から土地を取り上げて小作農に配ればいいという考えが戦前の段階から広がっていたんです。

茂木　こうした社会主義者たちが、日米が軍事的に衝突する方向に意図的に動いていたんではないかという疑惑もありますよね。

朝香　元共産党員の立場からすると、これは間違いないと思います。共産革命を行おうとした時に、自分たちを鎮圧できる軍隊の存在というのは厄介だという考えが共産主義者の中にはあります。日頃は軍隊の存在によって革命が起こせないわけですが、戦争やって敗戦して、軍隊がボロボロに弱くなっている時こそチャンスだと考えているんですよ。戦争中に国内で反戦運動を盛り上げ、戦争を内乱へ転化することで革命を起こすという路線です。

茂木　これを考えたのはレーニンで、「敗戦革命論」と言いますね。

朝香　少なくとも当時の共産主義者の間では「常識」だった理論です。

茂木　スイスに逃れていたレーニンがロシアに戻ろうとして、当時第一次世界大戦でロシアと戦っていたドイツと交渉を行いました。ドイツはレーニンがロシアに戻れば、ロシアの政情が不安定化するから戦局に有利だと見て、これに同意したわけです。

朝香　当時ドイツは東部戦線でロシアと、西部戦線でフランスと戦っていたので、ロシアが敗北を認めてくれれば東部戦線の軍隊を西部戦線に振り向けることができるようになります。こういう狙いもあったのでしょう。

茂木　日露戦争の時に日本陸軍の明石元二郎がレーニンらの革命勢力に多額の資金援助を与え、「血の日曜日事件」とか「戦艦ポチョムキンの反乱」を引き起こさせて、ロシアを敗戦に追い込んだなんてこともありましたね。

朝香　ロシア革命後の一九二〇年のことですが、レーニンは「ロシア共産党モスクワ組織の活動分子の会合での演説」で、日本とアメリカをいがみ合わせて戦争に持ち込むよう働きかけることが、共産主義政策の実践的課題であると述べています。

茂木　レーニンの指導のもとでコミンテルン（別名・第三インターナショナル）という国際共産主義運動の指導組織が一九一九年に設立されますが、日本の共産党もアメリカの共産党もこのコミンテルンの支部として設立されました。彼らがともにレーニンの狙いを頭に置いた上で敗戦革命論を意識していたことは間違いないでしょう。

ルーズベルト政権に入り込んだ共産主義者

朝香　アメリカにおける共産主義というと、マイナーなイメージかなと思いますが、実際には全然違ったということがわかっています。一九四〇年から一九四四年にソ連の工作員たちが交わした暗号電文を解読する作業がアメリカ政府によって行われ、「ヴェノナ文書」としてまとめられました。つまり「ヴェノナ文書」とは、アメリカ政府が公開している公文書です。でっちあげ文書とかではないですよ。これによれば、ルーズベルト政権の中に多数のアメリカ共産党員やそのシンパが入り込んで、日米開戦に向かって動いていたことがわかっています。

そのうちの一人であるハリー・ホプキンスはルーズベルト政権で商務長官を務め、外交顧問としても活躍し、「米国政府のうちで二番目に重要な人物」とも呼ばれていました。要するにルーズベルト政権でルーズベルトに次いで重要な人物だということになりますが、このホプキンスがソ連のエージェントでした。国連を創設し、その主導権を握りたいというルーズベルトの願いを叶えようと尽力したアルジャー・ヒスは、ホプキンスとともにヤルタ会談に同行し、千島列島をソ連に与えるなどの密約をソ連との間で交わすのに重要な役割を果たしたわけですが、彼はアメリカ共産党の秘密党員でした。戦後のＩＭＦ体制を作ったことでも知られるハリー・デクスター・ホワイトは、日本に対する事実上の最後通牒であった「ハル・ノート」を実際に起草した人物ですが、彼もソ連のエージェントでした。この三人はルーズベルト大統領の側近中の側近だったわけですが、揃いも揃ってソ連のスパイであり、ヒスのようにアメリカ共産党の地下党員であったことまではっきりと判明している人物すらいたというのが実際です。

茂木　彼らは氷山の一角にすぎません。第二次大戦後にカナダに亡命したソ連の大使館員だったイーゴリ・グゼンコの証言によれば、千七百名に及ぶエージェントがアメリカとカナダで活動しているとのことだったし、米下院に設けられた非米活動委員会委員長のマーティン・ディーースによれば、連邦政府内に二千名以上の明白な共産主義者がいるとのことでした。

解読できたソ連の通信暗号は実はごくごく一部にすぎず、しかも内容を明確にしない暗号文特有のクセのために、解読できたとしても単体ではその内容が即座にわかるというものではなく、実際の解読作業には相当な苦労を強いられたわけですが、それでも三百名以上のアメリカ人エージェントがソ連のスパイ活動に参加していたことが確定しています。

尾崎秀実「尋問調書」の衝撃

朝香　尾崎秀実は逮捕されてからの取り調べの尋問調書で、自分たちの狙いについても答えています。当時の調書の古風な文体をやや現代風にアレンジすると、以下のような感じになります。

私は欧州情勢や支那をめぐる帝国主義諸国家の角逐等、国際情勢から、一九三五年（昭和十年）頃から第二次世界大戦はまさに近しとの見通しをつけており、その後支那事変の勃発によってこれを断定いたしました。そうして第一次世界大戦がソ連を生んだ如く、第二次世界大戦はその戦争に敗れ或いは疲弊した側から始めて多くの社会主義国家を生み、世界革命を成就するに至るものと思っておりました。

そうして私はこの関係を経過的に、すなわち

（一）ソ連はあくまで平和政策をもってこの帝国主義諸国の抗争の外に立つべきであり、またそうするのであろう。
（二）日独伊対英米の抗争（帝国主義の変形国家と本来的帝国主義国家との抗争）は深刻な持久戦となるであろうが、その結果は共倒れとなるか、いずれかの勝利に一応は帰するであろうが、後者の場合はその敗れた側に社会革命が起こるであろう。
（三）勝ち残った国家においても充分に疲弊しており、かつソ連の比重の相対的な増大、強大国家の社会主義への転換を余儀なくされる可能性が高いというように観測しておりました。

これがレーニンの敗戦革命論そのものであることは言うまでもないでしょう。尾崎はソ連が戦禍に巻き込まれて疲弊することをできる限り避けつつ（「ソ連はあくまで平和政策を

もってこの帝国主義諸国の抗争の外に立つ」の意味)、資本主義国同士を互いに戦わせるように仕向け(「日独伊対英米の抗争」の意味)、ボロボロになったところで革命を引き起こす(「敗れた側に社会革命が起こる」「勝ち残った国家においても充分に疲弊しており、強大国家の社会主義への転換を余儀なくされる可能性が高い」の意味)ことで世界全体を社会主義へと向かわせることを狙っていたと明確に述べているわけです。そして、戦後の世界をかなり言い当てていて衝撃的ではないですか。

茂木　第二次世界大戦は邪悪な資本主義制度から生まれた帝国主義諸国が植民地再分割のために戦ったものだというのが通説になっていますが、実はこの見方は社会主義陣営から言われてきた見方なんですよね。現実には資本主義を「帝国主義」だと非難しながら、裏では共産主義者たちが敗戦革命を狙って双方の衝突を画策した結果である可能性もかなり高いと言わざるをえないです。

日本を戦争に引き込んだのは近衛側近の共産主義者だった

朝香　尾崎は「私の立場から言えば、日本なり、ドイツなりが簡単に崩れ去って英米の全勝に終わるのでは甚だ好ましくないのであります。（中略）この意味において、日本は戦争の始めから、米英に抑圧されつつある南方諸民族の解放をスローガンとして進むことは大いに意味があると考えたのでありまして、私は従来とても、南方民族の自己解放を『東亜新秩序』創建の絶対要件であるということをしきりに主張しておりましたのは、かかる含みをこめてのことであります」とも述べています。

尾崎は、日本が英米に単純に負けるだけでは不十分だと思っていた。英米に抑圧されている南方諸民族の解放を日本が掲げて進軍し、その上で敗北することが好ましいと考えていた。英米などの植民地となっているところで、それらの軍隊に日本が大打撃を与えることが彼にとっては重要だった。南方地域で大打撃を与えた後に日本が敗北すれば、日本のみならず南方地域でも共産主義革命が実現する可能性が広がる。英米だって軍事的には弱るから、ここでも革命を起こせるようになるかもしれない。これを狙っていたんですよ。

実際にあの第二次世界大戦を通じて、中国とか東欧とかベトナム・北朝鮮が共産主義国に転じて、世界の三分の一が共産圏になったわけです。戦争で疲弊して軍事力が弱り、社会的混乱も広がっているところで革命を実施するという敗戦革命論がいかに有効な手段であったかは、実際に起こった世界の変化からも理解できます。

茂木　尾崎はスパイ活動に身を挺していたために、特高によって捕まることになりました。忘れてはならないのは、尾崎のような共産主義的な考え方を持つ人たちは、当時の時代状況的には、日本でも世界でも例外とは言えなかったというところです。

朝香　スパイ活動などに従事していなくても、共産主義の理論に共鳴していた人たちはわんさかいたはずです。敗戦革命論を信じ、自国を戦争へと導き、敗戦に追い込めば共産主義革命を実現できる可能性が広がる、それによって自分たちの理想社会が実現すると信じていた人たちです。政治家の中にも、官僚の中にも、軍人の中にも、マスコミの中にも当たり前のようにいたのでしょう。つまり、彼らはスパイ活動に従事しなくても、敗戦革命に導くのが正義だと思い、その方向に近づけるために動いていたのだろうということです。

茂木　日華事変でも日米戦争でも、朝日新聞は、イケイケドンドンの戦争を煽る記事を書いていました。あれはそうした提灯記事を書くと部数を伸ばせるからというのも当然あったでしょう。その一方で敗戦革命を信じていた人間が社内にわんさかいたからではないか。こういう推測も十分にできますよね。

朝香　現在の左派＝「リベラル」派の人たちはこの時代の共産主義者たちの裏での暗躍を全く知らないのだろうと思います。こうした共産主義者の暗躍がどのくらいの重みを現実の国際政治に与えたかは、立場によって見解は変わるとは思いますが、暗躍があったという事実はまず認めるところから考察しないと、歴史を正しく見ていることにはならないでしょうね。

茂木　近衛首相に尾崎秀実を紹介したのが内閣書記官長、今の官房長官に当たる風見章(かざみあきら)ですね。

朝香　風見章は信濃毎日新聞の主筆の後に衆議院議員になり、第一次近衛内閣で内閣書記官長、第二次近衛内閣で司法大臣を務めた人物です。信濃毎日には「マルクスに付いて」との十二回にわたる連載記事を書いていたことがあり、そのうち六回はマルクスとエンゲルスの共著である『共産党宣言』についての紹介でした。風見は「この宣言書は実に重大なる意義を歴史的に持つものである。その重要さはどんな言葉を用いても誇大とはならぬほどのものである。それは実にヨーロッパ社会史、といわんよりも世界社会史、人類社会史上に新しい出発点を与えたものであった。労働者たちをして、最初にまず彼らの持つ所の歴史的使命と、その尊厳さとを、感得せしめたのは、実にこの宣言だったのである」と書き、共産党宣言に最大級の賛辞を送っていました。つまりバリバリの共産主義者です。こういう人物が戦前・戦中の内閣の中で力を奮っていたというのが日本の真実です。

茂木　いよいよ日中関係が悪化してきたとき、関東軍の石原莞爾（いしわらかんじ）作戦部長は、満洲国建設を優先すべきで、中国本土への戦線拡大には反対であると訴え、蔣介石と近衛との仲介を申し出ます。ところが徹底的にこれを邪魔したのが風見書記官長でした。あの泥沼の戦争に日本を引きずり込んだのは陸軍じゃないんですよ。近衛側近の風見・尾崎ら共産主義者なのです。

朝香　近衛内閣のときに、近衛内閣のブレーンの集まりとして昭和研究会というのがありました。あの昭和研究会のなかの中心メンバーが風見章で、尾崎秀実もそのメンバーでした。『風見章日記』という本が出版されているんですが、この中には近衛文麿と風見章の恐ろしい会話が掲載されています。

わたしは、近衛氏と、ふたりきりになったおり、時局のみとおしを語りあったが、近衛氏も日華事変がのんべんだらりとひきのばされてゆけば、厭戦気分の爆発から、革命は必至の勢いであることを認めていた。そして、そうなると、皇室の運命はどうなるだろうかと心配げにいいだしたので、わたしが、徳富蘆花の『みみずのたはこと』に出てくるひとくさりを例にあげて、国民の皇室に対する関心はみかけほどのものではなかろうと指摘し、したがっていざ革命ともなれば、皇室の運命はどうなるか、わかったものではないとこたえると、近衛氏は「ツァーの二の舞ではこまるなあ」と顔をくもらした。それからしばし沈思黙考の態であったが、やがていとも沈痛な口調で、ひとりごとのように、「ぼくとしては、どうなろうとも、皇室と運命をともにしなければならない」と、もらしていた。

茂木　風見も近衛も戦争が続けば、やがては革命になることを理解していた。その時に、ロシア皇帝（ツァーリ）ニコライ二世が処刑されたことを頭に置いて、天皇が同じように処刑になるのは避けたいという思いを近衛は吐露しているんですね。

朝香　そうなんです。近衛は弱者に対する同情心を持っていて、社会主義思想にも大いに共感するところまでは行っていたけれども、敗戦革命論の最終的な結末はなかなか受け入れられなかった。近衛は万民平等の理想社会を作ることには賛成していたから、自分と親しくしている風見などの共産主義者たちが目指す動きに反対する気持ちにはなれなかった。ただ、彼らが狙っていた敗戦革命の悲劇的結論については逡巡していたということなんでしょう。

風見章→ブント・森田実→宏池会→岸田内閣

茂木　風見は戦後の昭和二十六年に雑誌『改造』に「尾崎秀実評伝―殉教者への挽歌」という記事を載せていますね。その中で風見は「尾崎秀実とゾルゲは国家による虐殺行為で殺された」「わが尾崎が、絞首台に運べる足音は、天皇制政権に向かって、弔いの鐘の響きであり、同時に、新しい時代へと、この民族を導くべき進軍ラッパではなかったか、どうか。解答は急がずともよかろう。歴史がまもなく、正しい判決を下してくれるにちがいない」と書いていています。風見は尾崎をマルクス主義の殉教者として高く評価していたのです。

風見は敗戦後、日本社会党左派に所属しました。戦前は暴支膺懲（蔣介石政権を懲らしめろ）、戦後は平和憲法と非武装中立で、言っていることが真逆のように見えますが、中国共産党を利することでは一貫していたのです。ちなみに政治評論家の森田実さんは風見章のお弟子さんですね。森田さんの結婚式の媒酌人が風見なんですよ。

朝香　森田実は東大在学中に日本共産党に入党し、全日本学生自治会総連合（全学連）指導部でも活躍していますね。日本共産党幹部と殴り合いを演じて共産党を除名されてからは、仲間を集めて共産主義者同盟（ブント）を結成した人物です。中国の山東大学から名誉教授の称号をもらっていますね。

茂木　この森田実が自民党宏池会のブレーンだって、面白くないですか。宏池会の「経済重視、平和外交」路線はブントの理論とつながる。この遺伝子が、大平、宮沢、岸田政権まで受け継がれているのです。

朝香　自民党なんだからみんな保守なんだろうって思っていたら大間違いで、思想的には随分左の人たちが党内で一大勢力を築いている。これが自民党だということになります。自民党の闇の一端が見えてきますよね。

茂木　これも考えてみれば当たり前で、竹山道雄が「アカにあらずんば人にあらず」だと語った大学内での状況に、大学を出てきた人たちはみんなと言っていいほど染まっていたわけです。ゲバ棒持って暴れたり、過激なデモに参加したりはしなくても、心情的には共産主義思想に共感を覚えている人たちが多かったのは間違いないでしょう。

朝香　文化大革命があった当時は、外務省の中でも「中国共産党は、ソ連共産党とちがって、革命意識に燃えた同志たちの集まりであり、ソ連型の権力闘争などありえない」と思い込んでいた人がけっこういたことを、岡崎久彦氏が述べていますね。役人であれ、政治家であれ、共産主義というものがどれほど心を摑むものであったのか、これを理解していないと、自民党の主流派がブントとつながるという思想状況はわからないでしょう。

茂木　日本の政治家の親中的な姿勢は、中国が対外工作の費用を潤沢に用意できない時から日本の中にはずっとあったじゃないですか。中国というとすぐにマネートラップ、ハニートラップの話になりがちなのだけれども、そればかりでもないんですよ。

朝香　その通りで、マネートラップ、ハニートラップも無視できないんだけれども、それ以前に共産主義に甘いイデオロギー状況があって、この点に対する真摯な反省が未だにないことによって、左派的な思想が未だに強く続いているんだということは、理解しておくべきことだと思います。

左派・「リベラル」が主流という「マスコミの歪み」

茂木　朝香さんと今議論しているこういう話は紛れのない事実なんですが、こんなことは学校教育では全く教えていないですよね。「戦前は軍国主義で軍部が暴走して、国民にも諸外国にも多大な犠牲を強いました。戦後はその反省の上に立って平和憲法を作り上げ、平和な世の中になりました。メデタシ、メデタシ」というのが現代史の通説であり、これしか学校教育では教えられていません。これって猛烈な認知の歪みじゃないですか。

朝香　まさにその通りです。その歪みの空間の中に未だに私たちは生きているんですよ。

茂木　そしてこの歪みを信じたまま、左派言論が主流派となって新聞・テレビなどのマスコミを相変わらず牛耳っている。

朝香　ついでに言うならば、歴史教育においてもう一つ揺るがせにできない大きな歪みがあります。ナチズム、ファシズムについては恐怖政治の代名詞とでも言えるような激しい批判が浴びせられる「絶対悪」という認識になっているのに、ナチズム、ファシズムなんかよりもっと多くの人の命を奪っている共産主義に対する批判は、実に軽いものにとどまっているんじゃないかと思うわけです。スターリンによる犠牲者は一千から六千万人、毛沢東による犠牲者は六千万人から八千万人と一般に推計されていますが、外国と戦争していたわけでもないのに、どうしてこんなに多くの犠牲者が出ているのか、ここはまじめに考察すべきではないですか。

彼らが信奉する共産主義はかつての権威はなくなったとはいえ、今でも思想として大きな影響力を持っている。ＮＨＫがマルクスや資本論を再評価しようという特集を組んでいたりする。「スターリンが悪かった」「毛沢東が悪かった」だけで簡単に片付けますが、そういうレベルの話ではないでしょう。共産主義国家はたくさん生まれたけれども、どれ一つとしてまともな国家になりえていないんですからね。

茂木　左派の人たちの中でも純粋なマルクス・レーニン主義に共感する人は今やほとんどいないでしょうが、彼らがマルクス・レーニン主義をまともに批判するのを見たことがないですね。彼らは自覚していないのかもしれないけれど、左派的思考の源流がマルクス・レーニン主義にあって、大もとの「資本主義＝悪」という考えに共感してしまっているから、これを根本的に否定できないんですよ。

朝香　学校教育をおとなしく受けて、知らず知らずのうちに作り上げられた固定観念で善悪を判断するようになっています。よく考えれば、ナチズム、ファシズムと社会主義、共産主義はともに全体主義であり、議会制民主主義を否定する立場であり、ともに徹底的に批判すべき対象であるはずなのに、なぜか社会主義、共産主義に対しては思想的に甘い状態が続いています。日本は確かに西側の一員ですが、思想形成という面では左翼的なものがベースになっているわけです。

茂木　しかも恐ろしいことに、これは日本だけではない。アメリカもイギリスもドイツもフランスもみんな同じような状況にある。そしてまっとうな反左翼的な考え、資本主義を是認するような考え、自国の利益を第一とする考え、たとえばトランプ支持者やフランスのマリーヌ・ルペンの支持者が「極右」とか、「レイシスト（人種差別主義者）」呼ばわりされて排除されるような言論空間になっている。このことは実は、「西側の中に純粋な『西側』が存在していない」ことを意味します。これが現代の思想的な構図なのです。

第四章
マルクス主義の地政学

ロシア型独裁の原型はビザンツ帝国にあり

朝香　マルクスの考えで行くと、資本主義が十分に発展すると社会主義が生まれる条件が資本主義内で育っていき、その結果として社会主義になる必然性があるという話になっていたわけですが、現実にはそういう展開にはなりませんでした。当時最も発展していた資本主義国といえばイギリスでしたが、イギリスは今に至っても社会主義にはなっていないし、その後イギリスに代わって資本主義の盟主となったアメリカも、社会主義になるという道には進んでいきませんでした。資本主義の発展という見地では非常に遅れたロシアで最初の社会主義が生まれ、その後も資本主義が発達した結果として社会主義が誕生するという流れは生まれなかったわけですが、このあたりを茂木さんはどう見ていますか。

茂木　私はこの点で非常に示唆に富んだことを指摘されたのが小室直樹先生だと思っています。ソ連末期の一九八〇年代に『ソビエト帝国の崩壊』という本をお書きになっていて、そしてその後十年もしないで先生の予測通りソ連が崩壊するということがありました。あの当時にソ連の崩壊が間近だなんて言っていた人は皆無に等しかったので、小室先生の慧（けい）

眼に驚きました。あの本の中で小室先生は、ソ連型独裁の原型はビザンツ帝国、東ローマ帝国であると指摘していました。西欧カトリック世界では、精神的指導者のローマ教皇と、政治的指導者の国王・皇帝との政教分離が生まれましたが、ビザンツ帝国では皇帝がギリシア正教会の指導者を兼ねる政教一致体制が敷かれました。つまり皇帝に対する反逆は、神への反逆となるのです。

　ビザンツ帝国の持っていた皇帝独裁体制と官僚システム、政教一致体制が、ロシアの国家のモデルになってしまい、革命後のソ連もそれをずっと引き継いでいたのだというわけです。共産党は正教会を弾圧しました。それは彼らが「マルクス・レーニン教」という、新しい国教を定めたからです。党への反逆がイデオロギーへの反逆になる、という点において、ソ連もビザンツ帝国の後継者だったのです。

朝香　ソ連が行った共産独裁体制は東ローマ帝国以来のロシアの国家モデルと親和性が高いものであった、だからこそロシアの地で共産主義革命が起こったというわけですね。

茂木　それと同じことが中国でも言えるということを、ウィットフォーゲルという元ドイツ共産党員が『オリエンタル・デスポティズム――専制官僚国家の生成と崩壊』の中で述べています。大規模な灌漑治水工事を必要とする大陸国家では、大量の人民を動員して堤防を作ったりしないと農業ができない。それを実行する人間には必然的に権力と権威が集中することになる。つまり、はじめから皇帝独裁と官僚システムが揃っていないといけないことになる。

朝香　こういう場所では民衆のてんでんばらばらな意見を受け入れていたら、いつまで経っても堤防一つできないことになるから、統一的な強権支配体制が必然になる。反抗するようなやつが出てきたら、有無を言わさず逮捕して強制労働させるに限る。何としても社会として無理やり一致団結させるしかない。そういうことですね。

茂木　そのとおりです。中国を例に取れば、秦の始皇帝から二千年間ずっと、王朝交代はあっても同じシステムを受け継いできた。仮に異民族が支配する王朝になっても同じシステムを受け継いできた。だから中国人にとって国家というのはそういうイメージでしか存在しない。そしてこのシステムがモンゴル帝国に受け継がれ、モンゴル占領下に置かれたロシアにも継承された。つまりロシアで、ビザンツ的独裁と中華的独裁の二つが融合したのです。

朝香　こうした地理的条件があったからこそ、それにふさわしい国家体制が選ばれることになったということですね。

茂木　このシステムは強権によってまず富を一箇所に集めて、それをまた分配するというしくみですから、非常に共産主義的なのです。中国においては古来から土地を分配するという思想があるのです。遡ると紀元前三百年頃の人物である孟子が既に言っています。四角の中に井の字を書く「囲む」という漢字あるじゃないですか。あの漢字を使うと全部で九等分できますよね。ここから「井田制（せいでんせい）」という制度が生まれ、古代周王朝で既に行われていたと孟子は言うのです。中心の一区画が公田で、それを取り囲む八区画が私田で、八家族が集って真ん中の公田も耕作して、この公田で取れた収穫を租税として収めるというものだったと言われています。隋や唐の頃の均田制も同じようなシステムですね。

ウクライナとロシアがそりの合わない理由

朝香　確かにそういうシステムは社会主義的だとも言えますね。一種の国家社会主義とも言えるのかもしれません。

茂木　そういうところと、毛沢東が秦の始皇帝をまさに高く高く評価して、自分は始皇帝になりたいって言っていたことがつながってくるわけです。同じ理屈でスターリンは、イワン雷帝なんかを高く評価していました。プーチンもイワン雷帝とか、ピョートル大帝とか独裁者が大好きなんですよ。

朝香　確かにプーチンはソ連崩壊でロシアが四〇%の領土と国民を失ったことを強調して「二〇世紀最大の地政学的惨事」と呼び、民族的屈辱みたいな位置づけにしていましたね。強大なロシア帝国を築いた過去の偉大な皇帝に憧れていたというのは理解できます。

茂木　エイゼンシュテインという映画監督が『イワン雷帝』っていう素晴らしいモノクロ映画を作っていますが、スターリンがこの第一部をもう喜んじゃって絶賛しているんです。『イワン雷帝』は三部作として用意されたらしいんですが、事情があって第一部と第二部しか作られなかった。しかも公開されたのは第一部だけです。

第一部はイワン雷帝が貴族と対立し、愛する妃アナスタシアを毒殺されるに及んで悲嘆に暮れ、一旦退位してモスクワから追われるように地方に籠もっていたんですが、モスクワ市民から「どうかお戻りください」「貴族の横暴から我々市民をお守りください」と請願されて、モスクワに戻って再び帝位につくという、そういうカッコいい話なんですよ。

第二部は、モスクワに戻ったイワンが自分に反抗した貴族を殺しまくるという話なんですが、これを見たスターリンが上映禁止にしちゃいました。これは自分がやっている大粛正への批判だと受け取ったんですよ。それで第三部は作られることなく終わったというわけです。

朝香　エイゼンシュテインというと、私は『戦艦ポチョムキン』を見ましたね。これは日露戦争当時に日本海海戦でバルチック艦隊が全滅したことが大きなショックとなって、ロシアの黒海艦隊の戦艦ポチョムキンで水兵の反乱があった実話をベースに映画化されたものです。高校生の時に名古屋大学の学園祭でやっていて、単純に名前が面白そうだと思ってどういう映画かよくわからないで見ちゃったんですが、こんな激しい映画かみたいな感じで、結構びっくりしたのを覚えてます。

茂木　「オデッサの階段」と呼ばれるオデッサの市民を虐殺する場面が映画史上有名ですよね。

朝香　はい。ロシアによるウクライナへの侵略があって、このオデッサという町の名前もよく目にするようになりました。最近はロシア語からウクライナ語表記になって「オデーサ」というべきかもしれませんが。ウクライナの南西部にあって、黒海に面する港町です。

茂木　プーチンは歴史の話が大好きで、エイゼンシュテインが扱うような歴史的なテーマへの関心も高いのです。ずっと歴史のことを研究してきて、何度も自分でも論文書いたりしている人なのですよ。

朝香　プーチンは歴代の皇帝がやってきたことをよく理解していて、それを頭に置きながら今のロシアの統治を行っているとも言えるわけですね。

茂木　プーチンがやっていることは、ほとんど行動原理としてはソ連時代のロシアと変わらないし、さらに言えば帝政ロシアの時代とも変わらない部分でもあるんです。我々にはとてつもなく強権的に見えたりもしますが、ロシアの大地に根ざしたことをやっているだけで、だからそんなに悪いことをやっているとは彼自身も思っていないのでしょうね。

朝香　ロシアではこのやり方がずっと行われてきた。自分もそれを踏襲しているにすぎないということですか。

茂木　そうですね。各人が勝手にやって無秩序になるのは許されず、上からの強権的な統制が必要に決まっているではないかということなんでしょうね。

ところがウクライナは、民族的にはロシアと同じスラブなんですけども、長い間ポーランドの植民地だったところで、ちょっとロシアとは違う道を歩んできた歴史があります。さらに遡るとモンゴルの支配があって、モンゴルが出て行った後ポーランドが入ってきたんですが、そうした外敵との戦いにあって自分の家族、自分の土地は自分で守るという文化が育っていった場所なのです。男はみんな武器を取り、モンゴル騎馬戦法に勝てるように自分たちも騎馬戦法を身につけて、頭もモンゴル人みたいに弁髪にしたんです。

朝香　強いモンゴルに対する憧れのようなものがあったんですね。

茂木　これがコサックっていうやつで、頭を辮髪（べんぱつ）にしていたり、モンゴル人そっくりです。コサックの絵とかググると面白いですよ。

朝香　あっ、本当だ。モンゴル人そっくりだ。コサックは武装した私兵集団だと思えばよいですかね。

茂木　そうです。彼らは国を作らないのですよ。私兵なんです。それで面白いのは、団長を選挙で選ぶってところです。

朝香　意外にも民主的なんですね。

茂木　要するに、いくさをするわけだから、合理的じゃなきゃいけないんです。変なのがリーダーになったら潰されちゃうじゃないですか。本当に実力があるとみんなが認めるやつがトップになる。

朝香　だとすると、民主的なコサックは独裁的なロシアとは合わないという見方もできる。

茂木　そう。ロシアとは国民性が合わない。ただ、悪いところは、ウクライナ人はまとまらない（笑）。いつも内部で揉めてきた。だから最終的には「ポーランドと戦うためにロシアとくっついた方がいい」ってやつが出てきて、結局、ロシアにいいように使われてしまって、呑み込まれちゃったという歴史を歩んでいます。最後はロシアの傭兵みたいになっちゃいましたね。

朝香　部隊ごとのコサックとしてはまとまっても、国全体で一つにまとまることはなかったということですね。ただ今回はプーチンという敵が誰の目にも明らかになったから、さすがにまとまった。それが今やウクライナの強さになっている。

茂木　ウクライナ侵攻の前年、二〇二一年七月にプーチン大統領は「ロシア人とウクライナ人の歴史的一体性について」という論文を出しています。

この中で本来はロシア人もウクライナ人もベラルーシ人も一体のものなのに、長いポーランド支配とソ連時代の民族政策により「ウクライナ人」という民族意識が人工的に作り出されてしまったのだと述べています。そのうえで、「この点をうまく突く感じで欧米諸国がウクライナ政府をそそのかし、ロシアとの対話を拒み続けさせ、ウクライナ国民もこれによって苦しんでいるのだ」とも語っているのです。

こうした大ロシア主義の考え方に、多くのウクライナ人が反発したのは当然でしょう。

今回の侵略によってウクライナ人はロシアから決定的に離反することになったわけですが、この離反は明らかにプーチンの誤算と言っても過言ではないと思います。

労働者を信用しない「労働者の党」

朝香　ロシアのウクライナ侵略をこうした視点から見ていくのも面白いですね。ロシアの側からするとウクライナ人は同じ東スラブ民族であり、自分たちと同じような存在として考えているが、ウクライナ人はロシア的な強権体制を実は根っこから嫌っている。さらにホロドモールのようにロシアにひどくやられた記憶もいろいろある。そこにプーチンが勝手な理屈を作り上げて攻め込んできた。この結果として、「俺たちはロシア人とは違うウクライナ人だ」という国民意識が高まり、これを決定的にした。

茂木　国家体制がどうであるかというのは、それぞれの民族が経てきた歴史というものがかなり規定しているところがあるんじゃないか。その点を無視して強引に一体化を図ろうとすると、かえって離反を強めてしまうのではないか。そのくらい民族の歴史というものは強い。形体記憶合金のように、もとに戻ろうとする。こういう視点も大事ではないかと思うんです。

朝香　その茂木先生の視点でいくと、面白い見方ができますね。資本主義が最も発達したところから社会主義に進んで行くとマルクスが考えていたとおりにいけば、イギリスから社会主義が始まるはずだったんだけれども、逆に、アングロサクソンには歴史的に集権的な考えがないから、彼らのところではいくら経っても社会主義革命は起きなかった。そんな風に見ることもできるということですね。

茂木　そうなのです。そして皮肉なことに、マルクスが「空想的社会主義」とか言って完全否定したことが、現実のイギリスでは実現したと見ることもできると思います。資本家と労働者がうまく協調して話し合って、少しずつ労働者の権利を広げていくみたいな、そういう流れができ、そういうところからイギリス労働党が作られていった。実際、労働党政権はイギリスでは何回も生まれていますよね。その中で「ゆりかごから墓場まで」みたいなことが政策として実現していったりもしました。だからマルクスとは違う別の社会主義が生まれたと言っていいんじゃないか。これはドイツの社会民主党なんかも同じだと思うのです。

朝香　そういう話を聞くと、ちょっとマニアックなんですが、カウツキーとレーニンとの論争なんかを思い出します。カウツキーというのはドイツの社民党の指導者ですが、レーニンのプロレタリア独裁路線を厳しく批判するわけです。

茂木　プロレタリア独裁というのは、労働者・農民代表である共産党が絶対的な権限を持って、その指導のもとに政治を動かしていくというやり方ですね。社会主義になっても、資本家の側はもう一度資本主義に戻そうとして「反革命」を起こそうとするなど妨害してくるから、そういうことが絶対に起きないようにするために、資本家の側には政治的な発言を認めず、共産党に絶対的な権力を集めることが必要なのだという話です。これこそ「真の民主主義」なのだというのが彼らの理屈です。

朝香　カウツキーは「民主主義のもとで多数者を平和的に獲得していけばいいのであって、強権的なプロレタリア独裁なんて採用すべきではない」と主張したわけですが、レーニンは「プロレタリア独裁を否定するカウツキーは共産主義に対する『背教者』である、キリストを裏切った『ユダ』みたいなものである」として徹底的に戦うわけです。結局ドイツの社民党はカウツキーなどが主張する、プロレタリア独裁を否定する路線を選んでいくことになります。このことが最終的には現在のドイツ社会民主党につながる路線を確立させました。

今の社会民主党は、カウツキーよりももっと右寄りで、レーニンから徹底的に嫌われたベルンシュタインの立場に立っていると見るべきでしょうか。革命が達成できたら夢のような社会になるが、それまではとんでもない世の中なんだというような考え方をベルンシュタインは完全に排除しました。社会主義、共産主義というものは理念の中にのみ存在するものであり、それを目指して社会をどんどん改良していくことが正しい道なんだというような考えです。「正統派」のマルクス主義者は、こうした考えを裏切りだ、修正主義だと徹底的に批判しましたが、その後西側の社会主義運動はどんどんとベルンシュタイン路線に近づいていったと言えますね。

茂木　プロレタリア独裁の理論は、現実の共産主義政権の一党独裁と人権抑圧を正当化するトンデモ理論だと私は考えます。マルクスは、どうしてプロレタリア独裁なんてことを言い出したのでしょうか。

朝香　彼は「これまでの哲学者というのは世の中をさまざまに解釈してきたにすぎないが、やらなきゃいけないのは実際に変革することなんだ」と述べています。つまり「目の前で広がっている悲惨な現実を認識しても、それを変えなかったら意味ないよね」と思っていたわけです。このマルクスの考えに触れた時には、私は本当にそのとおりだなと感動しました。私は、今は共産主義者ではないですが、このマルクスの考えはとても大切だと思っていて、世の中を解釈するだけでなく、どうすれば変えられるかを見据えた議論を心がけているつもりです。

それはともかくとして、それでこの世の中を変えなきゃいけないとマルクスが思った時に、どうすればこの社会を根底からひっくり返せるかということについて、彼は本当に真剣に考えたんだと思うんですよね。真剣に考えてきたなかで、労働者が資本家と話し合いができれば、資本家が労働者のことを考えて彼らの生活改善を図るなんていうのは幻想に過ぎないとマルクスは結論付けたわけです。多少「アメ」が出てくることがあっても、その背後には「ムチ」があるのであり、騙されてはいけない。社会を根本からひっくり返さないと、労働者をはじめとする社会的弱者を真に救い出すことなどできない。だから強力な前衛党が出てきて、その前衛党が革命を導くという形態でないと、こういうことは実現できないというのが一つの結論だったと思うんです。

茂木　「前衛党」というのは、革命を導く少数のエリートである共産党のことですね。共産党は労働者の党だといっても、普通の労働者は日々の暮らしに忙しくて革命を導く深い理論のことなんか考えていられない。だから労働者階級のことを真剣に考えて革命運動の指導をする職業革命家たちの集まりが必要になると考えるわけですね。この職業革命家たちのことを「前衛」といい、彼らが集まった政党である共産党が「前衛党」ということになります。

朝香　「前衛」という言葉が定着していますが、本当は「前闘」というべきかもしれませんね。資本主義と戦う、資本家と戦う最前線に立つというイメージなんですよ。自分たちの方から攻めて行っているのに、奴らから攻撃されているのを最前線で体を張って守るのだという感じに置き換えて「前衛」というわけです。自分たちを美化するような言い方ですね。

茂木　確かにそうかも。そういえば「前衛」という言葉はあっても「後衛」という言い方はないですね。

朝香　激しい階級闘争を必然だと見なしたマルクスの意識のなかには、当時は特に制限選挙の時代だったこともあったから、結局は金持ちしか投票権はもらえないし、その金持ちが入れた人が代議士になるような「ブルジョア資本主義」の形態のなかにおいては、弱者の意見が反映される道はないと見ていたわけです。この中では敵＝資本家はものすごく強大であると考えていた。当然国家権力を握っているし、マスコミなんかの思想装置まで左右できる力がある。

それに対して労働者階級は日々の暮らしに精一杯で、革命なんて考える余裕はない。自分たちを解放させる道筋を考えることなどできない。それでも対抗することを考えるなら、世の中の矛盾を理解した少数の者たちが結束し、団結して立ち向かっていくより他にない、というように考えていったわけですね。

一般にはマルクスというと理論の人というイメージが強いですが、フランスにいた時にはドイツの革命を引き起こすために、数百人の工作員をドイツ各地に送り込んだりもしています。革命を起こすための実践的な活動もかなり精力的に行っていました。

茂木　共産党というと、秘密主義的なイメージがありますが、これはその前衛党の考え方と関係あるのでしょうか。

朝香　そうですね。秘密主義ということで言えば、マルクスというよりもレーニンによる影響が大きいのではないかと思います。レーニンは「大衆に開かれた党とは官憲に開かれた党である」との考えに立ち、前衛党の党員資格を厳しく限定しました。党の綱領を支持しているだけの者をみんな党員とするのは間違いで、党組織に所属して活動を担う職業革命家の集まりでなければならないと考えていたんですね。その上で厳格な秘密主義を採用し、外部から党の動きがわからないようにするというのが大切な考えだとしていたんです。

「前衛」か「労働者」か、革命路線の対立

茂木　「労働者の党」だと言いながら、労働者や大衆を信用していなかったということですか。

朝香　そう言われても仕方ないですね。ただし、この方針は日露戦争でロシアが敗北した頃に、国内の窮状に怒りを感じたロシアの労働者たちが大きな行動に出ることによって、随分と緩められることになりました。レーニンは目覚めた労働者たちを積極的に党に迎え入れる動きに転じたのです。

それでも党中央の指導力を重視して、党中央においては秘密主義的な従来のあり方を残しながら、党そのものは意識の高い労働者に開かれたものにしていくということが行われました。労働運動の高まりを受けて、労働者の生活改善に重点を置く動きがロシアでも強くなってきたのですが、レーニンはこのあり方を「経済主義」だと批判し、それよりも政権奪取をめざす政治闘争を優先して、革命運動を責任を持って牽引するのが前衛党の役割だとしました。

茂木　まさに「アメ」に騙されるな、そんなものは資本主義に幻想を与える「修正主義」だというわけですね。

朝香　ええ。レーニンは主著の『国家と革命』の中で、最も進んだ民主的な共和制国家でも、結局は「ブルジョワ国家」であり、ブルジョワジー（資本家）によるプロレタリアート（労働者）に対する独裁なのであり、この点に幻想を持ってはならないと書きました。資本主義ではブルジョワジー的なものの見方がもともと広がっていて、マスコミもまたブルジョワジーが握っているから、選挙をやったところでブルジョワジー的な主張をする政党しか多数派を握ることはない。だからブルジョワジーの意を体した政党が政権につくのは変えられず、そんなものはブルジョワジー独裁なのだというわけです。

選挙に基づいた政権交代による革命など幻想であり、暴力革命以外はありえないとの立場に立ち、社会主義革命によって、ブルジョワジーによるプロレタリアートに対する独裁とは真逆の、プロレタリアートによるブルジョワジーに対する独裁に転化しないといけないと説きました。

茂木　このプロレタリア独裁においては、資本主義の復活を目指す「反革命」の自由は厳しく制限されなければならない、そうなりそうな機会をすべて奪い去らないといけないとレーニンは考えた。この結果として共産党以外の言論がすべて排除されるようなことになったわけですね。

朝香　茂木先生からご指摘いただいた視点から見ると、こうしたレーニンの考え方は、ロシア的な現実を色濃く反映したものゆえに、ロシアで採用されたのかもしれませんね。実は若い頃のレーニンは割とカウツキーに近い考え方をしていたこともあるんですよ。でも最終的にはこの立場を捨て去って、厳格な前衛理論に転換していきます。そこにはロシア的現実が絡んでいて、方向転換していったのだということかもしれません。

なおレーニンは、資本主義の発展段階として、国家が強い官僚機構をも備える国家資本主義的な段階に至っては、カウツキーのような軟弱な考えでは、強大になった資本主義国家を潰せるわけがないとの考えを示しています。ただレーニンは非常に政治的な意図を込めて文章を書く人ですから、これが彼の本音であったかどうかはわかりません。

一方、マルクスの盟友であるエンゲルスは、マルクス没後にドイツの社会的変化というものを取り上げながら、実はレーニンとは随分違うんじゃないかと思える見解を披露しているんですよ。マルクスとエンゲルスが『共産党宣言』を書いていた頃は、労働組合にしても熟練工の職業別組合程度しかなく、大規模な労働組合はありませんでした。大衆的な共産主義政党は存在しておらず、彼らが属していた「共産主義者同盟」といった組織も、構成員がわずかに数百名にとどまっていました。この当時では少数の精鋭たる「前衛党」による革命しか、現実を変える手段としては考えられなかった。そういう事情が「前衛党」による革命という彼らの考えに影響を与えていたとも言えるかもしれません。

ところがマルクスが亡くなってエンゲルスの晩年になると、大きな社会的変化がドイツにも押し寄せてきました。産業別労働組合が広がり、普通選挙も行われるようになり、多数の労働者の支持のもとにドイツ社会民主党などの左派政党が大きく育ちました。こうした時代環境の変化を見て、エンゲルスは「奇襲の時代、すなわち意識のない大衆の先頭にたった意識ある少数者が遂行した革命の時代は過ぎ去った」（マルクス『フランスにおける階級闘争』の一八九五年版序文）と書き、それまでの少数精鋭の前衛党による革命路線を修正するような考えも披露しています。こうしたエンゲルスの姿勢の変化は、同じドイツ人であるカウツキーの考えに影響しているところもあったのでしょう。

茂木　ドイツの現実を踏まえた考えをカウツキーがするようになり、これがロシアの現実から出発したレーニンの考えと激しくぶつかったという理解もできるかもしれないですね。

第五章

元共産党員が語る「マルクスの間違い」

「天上の希望を説く人々こそ毒の調合者だ」

茂木　朝香さんはマルクスをどう評価しているのですか。

朝香　私はなんだかんだと言っても彼が知的巨人だったのは間違いないと思います。彼が世界を大いに誤らせる理論を作り上げたことは否定できないですが、彼がいなくても彼に代わるような論客が着目されていたのは間違いないと思います。ああした理論が作り上げられたのは当時の時代背景から来る歴史的必然だったと思うんですよね。

茂木　マルクスが現実の解釈ではなく、変革を意識した理論を考え構築したことを評価していると、朝香さんは話されていましたが、それ以外の点でマルクスを評価しているところはどういうところでしょうか。

朝香　建前としてのキレイゴトで現実をごまかすことをしなかったところも大いに評価できると思います。例えば経済学の視点で考えれば、需要と供給の均衡で全ては成立しているわけだから、賃金が安かろうが、長時間労働だろうが、マーケットメカニズムからすれば合理的であるとして、こうした問題点を完全にスルーするようなものの見方があったわけです。だが、その仕組みの中で生きている現実の労働者は、一日十四時間労働なんてことも普通に行われていました。連続四十時間労働なんてこともありました。小さな子どもたちまでもが労働力として駆り出され、過酷な労働に追われて短い生涯を閉じるなんてことも起こっていた。十歳にも満たない子供が労働現場にいるなんてことが全然珍しいことではなかった。こんなものを容認する社会のあり方はおかしいと憤り、この社会を根本的に変えないといけないとの思いに駆られて、そのための生涯を送ったということに、左派の人たちが特別な思いを持つというのは、おかしなことではないと思うんです。

茂木　貧苦に喘ぎながら、労働者の解放を目指して突き進んだその人生に、言ってみれば殉教者的な美しさを感じてしまう。キリストに思いを馳せるキリスト教徒と同じような心理があるわけですね。

朝香　そうなんですよ。そうしてある意味では神格化されているから、マルクスの悪口を口にする人々を彼らは感情的に許せない。彼らが抱いているマルクス像は客観的に見ればいいところだけを切り出しているだけの、都合のいい見方だともいえるのですが、それを言い出したら世界中の偉人・英雄なんかもみんなそうじゃないですか。ですから、私はマルクスのダメな点を意図的にあげつらう議論というのもあまり好きにはなれず、時代背景を含めた限界は当然あるものの、知的巨人として認めたい気持ちがあります。

茂木　そういう朝香さんのお気持ちもわかります。一方でマルクス主義者が人類に与えた災厄についても、冷静に振り返ることも重要ではないでしょうか。

「天上の希望を説く人々を信じてはならぬ。彼らこそ毒の調合者である」というニーチェの言葉が僕は好きです。彼が批判したのは当時のキリスト教でしたが、マルクス主義の欺瞞をも言い当てていると思います。

朝香　茂木さんのその考えに私は完全に同意します。ただ、客観的にマルクスを善悪両面から捉えるのであればいいのですが、一方的にマルクスを悪(あ)し様に捉える議論は無用な対立を引き起こすだけではないかとも思っています。

茂木　マルクスはプロイセン王国の工業地帯ラインラントで、ユダヤ教の教師(ラビ)の家系に生まれました。父親はフランス革命の影響で自由主義思想に転向した弁護士、母方の祖母はロスチャイルド家とも姻戚関係にあるユダヤ系財閥コーエン家の出身で、大変裕福でした。

そんな恵まれた境遇に反発したマルクスは哲学にはまり、法学を学ばせたい親と対立します。弱者の救済について高い関心を払いながら、実は大変な浪費家で、大学時代は平均以上の仕送り額をもらっていたのに、追加のお金を実家にたびたびねだり、お父さんはこういうドラ息子のことを大いに愚痴っています。

朝香　マルクスはまとまったお金が入るとすぐにパーッと使っちゃうところがありました。労働者階級の解放なんて叫びながら、幼少期から続けてきた贅沢な暮らしからはなかなか抜け出せなかった。やがてお金が続かなくなり、貧苦にあえいで子供たちを次々と失い、その棺を買うお金さえ人から借りなければならなくなったりもした。こういうところは非難の対象にもなるのですが、逆に人間っぽいというか、人間が理性のみによって生きる存在ではないというのを教えてくれる話でもあるかと思います。

茂木　マルクスの経済理論って、「労働価値説」ですよね。「労働価値説」ってどういう考えなのか、説明してもらえませんか。

「労働価値説」とは？　「搾取」とは？

朝香　商品の価値はその商品を生産するために社会的に必要な労働時間によって決定されるという理論ですね。一キロのお肉と二キロのお茶っ葉が同じ値段であるとしたら、一キロのお肉を作り出すのに必要な労働量と二キロのお茶っ葉を作り出すのに必要な労働量は等しいはずだという考え方です。

茂木　同じ値段だから同じ労働量だというのは、直感的には随分乱暴な議論ではないかと思います。人々が一キロのお肉がほしいと思う時の価値と、二キロのお茶っ葉がほしいと思う時の価値が同じだから、同じ値段が付いているのではないでしょうか。

朝香　茂木さんが言うのは「効用価値説」といって、「労働価値説」と対置される考え方ですね。「効用価値説」にも説得力を感じるところもあるんですが、「労働価値説」があながち間違っているというわけでもないとも感じています。この二つの説は相互補完的に考えるべきもので、一方が正しくもう一方が間違っているというものではないと思います。

茂木　それはどういうことでしょうか。

朝香　例えば砂糖に求める人間の効用というのは、昔も今も大差ないはずですよね。ですが昔は大変高価なものだったのに、現代では一キロ百五十円から二百円くらいで買えちゃいます。これは砂糖を作るのに人手をあまり要しないようになって、製造原価が引き下がったからだとは言えないでしょうか。つまり生産効率が良くなり、投下労働力が減ったから値段が下がったということです。

薄型テレビが登場した時はめちゃめちゃ高かったわけですが、あの価格も数年の間ですごい勢いで下がっていったじゃないですか。大量生産されるようになって生産効率が上がり、製品一個あたりの投下労働量が減ったから、値段が下がったと見ることができるわけです。それぞれのものの値段にいくら程度がふさわしいかというのは、単純に主観的な効用のみで決まるものではなく、原価ベースから値ごろ感が形成されるという背景があることは理解すべきだと思います。ひとつわかりやすい例で行くと、仕出し弁当のプラスチック製の容器の値段で考えてみるとわかりやすいかと思います。茂木さん、あの容器一個っていくらくらいだと思いますか？

茂木　五円、せいぜい十円くらいですかね？

朝香　当然大きさや形状にもよりますが、仕出し弁当屋さんが一度にまとめて大量に買っても、実は単価は五十円から七十円くらいするんですよ。意外じゃないですか。料理を入れるだけの単なる容器で、食べ終わったらポイ捨てでしょ。中身の方が遥かに大事で、容器は絶対に主役じゃないですよね。主観的効用から見たらせいぜい十円だろうと思っても、そんな金額では流通していないのですよ。私たちの直感に反して、現代の効率的な生産でもそれだけのコストが掛かるから、コストに見合った金額をベースにしないと供給ができないのです。だから街中の仕出し弁当屋さんはみんな「高いなあ」と思いながらも、渋々こういう高い値段で容器を買った上で、弁当を作っているのです。こうした点を取り上げれば、「労働価値説」って案外正しいと思いませんか。

茂木　なるほど。では別の観点から考えてみたいのですが、効率的に働く人もいれば、効率的に働けない人もいますよね。そうすると同じ労働時間でもできるものの質も量も変わってしまいますよね。この矛盾は「労働価値説」では説明できるのでしょうか。

朝香　その点も世の中によく出回っている誤解で、労働価値説が唱えているのはあくまで平均的な人間の労働時間に依拠すると考えているわけです。鍋を作るにしても、職人が一つ一つを手作りで仕上げる場合と、プレス加工の機械によって大量生産する場合では、平均的な投下労働量が明らかに違うわけですから、価格が全然違ってきますよね。この価格の違いは「効用価値説」よりも「労働価値説」の方が説明しやすくないでしょうか。鍋としての客観的な効用は、手作りであるか機械製造であるかによって大きく異なるものではないと思います。

　もちろん鍋職人が手塩にかけて作ったものだという主観的効用が評価されて、職人の鍋の方が高いという見方もできますが、製造コストを無視した値付けはもともとできないわけですから、職人の手作り鍋であれ、機械で作った大量生産の鍋であれ、製造コストに見合う金額がはじめにあって、そこから値段が付けられることになるわけです。今と違って機械生産の鍋がなかった時代にまで遡れば、安価な鍋は期待できなかったわけですから、鍋がそれなりの値段がするのは当然でした。それを前提に「この値段なら買う」という値ごろ感も今とは違っていたということになりますよね。そうなると、主観的効用で値段が付いていると言っても、値ごろ感のベースはやはり製造原価に大きく依存していることになります。こういう点を理解するには、「労働価値説」の方がわかりやすいとも思います。

茂木　なるほど。とすると「労働価値説」は間違っているという議論がいろいろとなされますが、それはあまり的確なものではないということになりますか。

朝香　そうですね。では「効用価値説」が間違っているかというと、そういうわけでもないのです。限定品にプレミア感を感じて高い値付けでもうまくいくことがあるなどというのは、「効用価値説」でないと説明がつかない話です。また、仕事が終わった後の一杯目のビールは格別に美味しいかもしれないけど、二杯目、三杯目になるにつれて、感じる美味しさのレベルはだんだん薄まってくることにもなるでしょう。

茂木　なるほど。この主観的な効用の低下というものは、「労働価値説」で考えていくのはやはり無理で、効用価値的に考えないと説明がつかない。だから「労働価値説」だけで説明できるというわけでもないということですね。

朝香　「労働価値説」の方が正しくて「効用価値説」が間違っているとか、その逆ということではないのではないか、この二つの捉え方は相互補完的に考えるべきもので、便宜的に使いやすい理論をその時々で使い分ければいいんじゃないかと思います。そもそも「効用価値説」が生まれたのは一八七〇年代のことで、マルクスの晩年に近い頃の話なんですよ。当時のアダム・スミスやリカードが発展させてきた経済学というのは、全部「労働価値説」を採用してきたものでもあり、その意味では当時において「労働価値説」は由緒正しい議論だったとも言えます。

茂木　資本主義では搾取がなされるということが言われますが、あの「搾取」とはどういう意味でしょうか。労働者に本来支払われるべき正当な賃金が支払われていないという理解で正しいでしょうか。

朝香　それは確かに世間で広く行き渡っている勘違いですね。そう思っている人が多いと思いますが、実は違っています。マルクスは労働と労働力は別物であるという概念で説明をしています。労働が生み出した付加価値によってモノの値段は概ね決まるけれども、労働者が受け取る賃金は労働力に見合った分になるというのがマルクスの考えです。

茂木　ちょっとわかりにくいですね。もう少し説明してもらえますか。

「マルクス」に人々が惹かれるわけ

朝香　経営者がなぜ労働者を雇うのかと言えば、労働力を買い取ることでそれ以上の付加価値が生み出せると思うからですよね。労働者には月給として三十万円支払っても、五十万円の付加価値を作ってくれるのであれば、差額の二十万円が利益になるというわけです。では労働者の月給の三十万円というのは、どう決まるのか。これは労働力の再生産を満たすのに必要な金額にとどまっていてもいいということになります。労働力を再生産するには、ご飯を食べられなければならないし、住居費の支払いも必要になるし、子供を育てる費用も賄えないといけない。だが逆に言えば、それさえ満たせるのであれば、労働者は労働力を資本家に売り渡すのではないかというわけです。

茂木　なるほど。とすると、労働者を競馬の競走馬のように見立てて考えてもよいでしょうか。競走馬はレースで勝利すると馬主に莫大な利益をもたらしてくれるけれども、競走馬にとって必要なのは、ちゃんとニンジンが食べられて、適度な休息を取って疲労回復して、次のレースでも走れることだと。それだけのものが馬主からもらえるのであれば、それを上回る分は完全に馬主のものになってしまって構わないと。

朝香　そのとおりです。そして競馬が続くためには子馬の養育費も捻出できないといけないので、その費用も生み出す必要がある。だがそこまでちゃんと満たせるのであれば、あとは馬主に全部持っていかれても別に問題はないということになりますよね。そしてこの馬主が持っていく取り分のことを剰余価値と呼んでいると理解すればいいわけです。発展途上国の方が人件費が安いってよく言いますけど、先進国と発展途上国で同じ仕事をしてなんで給料が違うかというのは、こういう労働力の再生産に必要な金額が先進国と発展途上国で大きく違うという事情が反映していると見るべきです。

茂木　原材料を集めて組み立てて完成品を売るということを考えた場合に、原材料代金が合計で九千円、一個あたりの人件費が四千円で販売価格が二万円だとすると、販売価格の二万円から原材料代金九千円を引いた残りの一万一千円が付加価値となり、販売価格の二万円から原材料代金九千円と一個あたりの人件費の四千円を引いた七千円が剰余価値だと考えればいいでしょうか。

朝香　そのとおりです。現実には水道光熱費とか機械の減価償却費とか税金とか輸送代金とか保険料とかいったものがもろもろかかってくるので、これほど単純ではないですが、概念の理解としてはそんな感じで十分です。

茂木　ではちょっとお尋ねしたいのですが、先ほどの競走馬の例で行くと、あの競走馬は十分幸せに暮らしているということになりませんか。ニンジンしかもらえないと言っても、ニンジンだけちゃんともらえればずっと生きていけるわけで、競走馬にはなんの不満もないのではないですか。

朝香　鋭い指摘ですね。マルクスが考えていた資本主義の矛盾というのは世間が思っているのとは随分違っていて、生産手段の私的所有と生産関係の矛盾というところに根本問題を見出しているんですよ。マルクスは資本主義になると生産力を飛躍的に高めるために分業がどんどんと進んでいくのが特徴だと見ていました。例えば車を作る場合を考えた時に、一人ずつが担う工程は、ドアの取付を行うとか、タイヤのはめ込みを行うとか、全体の工程のほんの一部ですよね。多くの人がこの生産工程に参加しないと車ができない仕組みになっています。

さらに言えば、トヨタの車を作るのにトヨタだけでできるわけでもない。トヨタのクルマづくりに関わっている会社は何万社かあるでしょう。そこまですごい分業体制になっているのに、私有財産制度に基づいて個別企業は一つ一つが別々の所有となっていて、社会全体の計画性など考えずにそれぞれがバラバラな経営判断で勝手に動いていますよね。生産力がどんどん高まって分業体制がどんどん進んでいるわけですから、生産は社会化されている、つまり多くの人が関わってはじめてできるものとなっています。こうなると、お互いの関係が大事であって、個別に勝手に動いてはいけないはずだということになります。そうした生産関係にありながら、所有形態は私有財産制で私企業はバラバラに自分勝手な思惑で動きますよね。この両者の間では矛盾が大きくなっていき、やがて生産手段は私的所有から脱して、社会化された生産関係に合わせた、社会的共有の形態に転じる必要があるということになるわけです。

茂木　そうすると、搾取の問題とかはそれほど大きな問題ではないということでしょうか。

朝香　そういうことでもないんですよ。資本主義では個別企業は利潤を最大化することを考えていますよね。企業間には激烈な競争がありますから、ライバル企業に勝つためには労働者に支払う賃金もできるだけ安いほうがよくて、労働力の再生産に必要な最低限の金額に留めるようなことを考えます。ところがもう一方で労働者は商品の買い手でもありますよね。雇い入れる従業員の給料はなるべく安いほうがいいんだけれども、商品を買ってもらうお客さんにはたくさんお金を持っていてもらわないと困ってしまう。そうしないとせっかく高めた生産力に見合う購買力がなくなってしまう。この問題も生産手段の私的所有があると解消しないと見るわけです。

茂木　なるほど。私的所有だと生産がてんでんばらばらになってダメなんだけれども、それだけではない。各企業が個別に判断する状態では、労働力の再生産に必要な金額のみを労働者に支払うだけになってしまい、レベルの引き上がった社会全体の生産力に見合う購買力を作り出せないことになる。その矛盾によって資本主義自体を前進させられなくなっていくと見ているわけですね。

朝香　そうなのです。そうすると、消費能力に対して資本が過剰に存在することになる。だが、過剰になったところで資本は剰余価値を求めようとすることをやめられない。その結果として過剰生産を生み出したりする。思ったような利益が上げられないということになれば、首切りをするなどして、そのしわ寄せを弱者である労働者に転嫁して乗り切ろうとする。そうすると、一方においては過剰生産が現出しながら、他方においては労働者たちの消費能力がさらに落ち込んでいくという困った状況になるわけです。資本主義の利益第一主義によって、資本の成長と消費能力の成長の間に歪みを生みながら、期待するような利益がなかなか実現できなくなっていく中で、矛盾にどうしてもぶち当たらざるをえない。

茂木　一方においては、商品を欲しながら購買能力がないために入手できない労働者階級がいる。その反対に買い手がいなくて商品をさばくことのできない過剰資本が現れる。在庫が余って困っているのだったら、買えない労働者たちにタダで配ってやればいいんじゃないかと思うけど、それでは資本が求める剰余価値が実現できないからそれはできない。そこでそうした商品を密かに燃やしたりして処分するようなことが行われる。

朝香　こうした経済が大きくクラッシュして大量の失業を生み、多くの企業が倒産し、過剰な資本や商品在庫を廃棄しなければならなくなる事態を「恐慌」と呼んでいますが、当時の資本主義では恐慌が十年程度の周期で発生していました。この恐慌の原因は資本主義の構造そのものにあるのだ、社会全体として計画の取れた合理的な生産は資本主義のもとでは行えないことが原因だというわけです。そして資本は生き残りのためにこの問題のしわ寄せを労働者に押し付けることになり、失業も激増することになります。こうした問題を解決するメカニズムは資本主義にはなく、そこに崩壊する必然性があるのだというのがマルクスの理論です。

茂木　そういう議論なんですね。資本主義の中で生じる景気循環について、マルクスが説得力のありそうな議論をしていて、その理論に多くの人が魅了されていった感じは理解しました。他にもマルクスの理論に魅力的なところはありますか。

なぜ「疎外論」に惹きつけられるのか

朝香　マルクスにハマる人たちが最も惹きつけられるのは「疎外論」だと思います。

茂木　マルクスの言う「疎外」は、日常会話で使う疎外とはちょっと違うんですよね。

朝香　そのとおりです。日常会話で使う疎外はのけものにされて寂しい思いをするみたいな意味だと思いますが、マルクスが使っている「疎外」はそういう意味ではないですね。自分が作り出したものが自分のコントロールから離れたものとなり、自分にとってよそよそしいものになるという感じの意味です。

茂木　具体的にはどういう感じなんですか。

朝香　いくつかありますが、まず第一が労働生産物からの疎外です。中世の職人たちの社会においては、職人たちが生み出したものは職人たち自身のものであり、それを気に入ってくれた人に売れればよかったわけですが、資本主義では労働者が生み出したものは労働者のものにはならずに、資本家のものになります。しかも分業が発達する中で、作り上げられた製品について、自分が生み出したものだという思いも持てなくなってしまいます。

例えば車の生産でハンドルの取り付けのみを行っている労働者からしてみれば、完成車ができても「これは自分が作った車だ」なんて思いは持てなくなってしまうでしょう。さらに言えば、流れ作業の中で、流れてくる車の生産に自分のペースを合わせていかないといけなくなります。自分が快適なペースで作ることもできず、いわば製品に逆に隷属するようなあり方が生まれることになります。

茂木　自らの労働の結果として生み出した生産物なのに、自分は生産過程のごく一部にしか関与しておらず、しかもそれは資本家のものであるから自分のものだとは全く思えなくなり、よそよそしいものになってしまう。人間と生産物との主従の関係が逆転して、生産物のほうが主で、人間がそれに従属するようなことまで起こってしまう。これらのことを「疎外」であると考えたということですね。

朝香　そうですね。第二に労働からの疎外です。労働というものは自然に働きかけて人間にとって有益なものを作り出すという行為であり、本来は喜びに溢れたもののはずですね。

大好きな彼氏のことを思ってセーターを編むようなことを考えた場合に、セーターを編んでいる間は苦労も多いだろうけど、出来上がったら嬉しいし、そのセーターを彼氏が喜んで受け取ってくれたらさらに嬉しいということになります。ですが資本主義のもとで分業体制が進んでいくと、効率性を重視する中では、全体の生産過程のうちのごく一部のみしか仕事としては担当しないことになります。流れ作業で同じ部品を朝から晩まで取り付けるだけの仕事が延々と続くといったことが起こるわけです。

こんな仕事の中で労働の喜びなんてものはとても考えられないですよね。出来上がった製品を使ってくれる人の喜んだ顔が自分に向けられることなんかも全く考えられないことになります。資本の合理性を優先した非人間的な生産制度の中で、人間は機械の歯車的な立場にされてしまい、労働の喜びを感じられないようにさせられてしまうのだというわけです。

茂木　単に賃金を得るためだけに、喜びの感じられない労働に従事しなければならなくなっている。これは疎外だということですか。

朝香　第三に「類的存在」からの疎外です。これは第二の疎外とかなり似ているんですが、本来人間が労働を行う時には、誰かを喜ばすために行うものですよね。おいしい食事を料理して、作った相手に喜んでもらうというのはわかりやすい例ではないかと思いますが、このように人間の労働というのは誰かのために行い、その人に喜んでもらえるという報酬とセットになっているものであるはずです。ですが、資本主義的な生産においては、共同体の一員として共同体の成員に対して喜んでもらうということが行えなくなるわけです。

茂木 共同体の仲間のために働くのが本来の姿なのに、そうした仲間のための存在、類的存在でいられない状態にさせられてしまうということですね。

朝香 類的存在という難しい言葉を使っているのは、人間には豊かな想像力があり、例えば将来の子孫のためといったことを含めて、別に今自分が所属する共同体の成員のためだけでない広い存在を相手にして、そのために労働に励むことができると考えているからです。

第四に人間からの疎外です。資本主義では労働者は賃金労働者として振る舞うことを強制されます。この中で労働の意味がわからなくなり、労働の喜びが感じられなくなり、ただ生きるためだけにつまらない労働を延々とさせられる存在になってしまう。本来であれば人間は人間が持つ多面的な側面で評価されるべきですが、そんな多面的な人間的な評価は資本主義体制の中で奪われていくというわけです。仕事を選ぶとしても、自分に合った、喜びを感じられるものを選べばいいはずなのに、どの仕事も喜べないようなものであれば、賃金の高低が決め手になるようなつまらない選び方になりがちです。こういう中で人間の評価、仕事の評価というものが本来の人間的なものではなくなって、薄っぺらいものとなってしまう。

茂木　本来労働はそれを通じて自己実現できるようなものであるのに、銭勘定だけのつまらないものとなり、そうした観点から人間に対する評価も薄っぺらいものになってしまうということですね。

朝香　マルクスが考えているのは、本来人間の労働は人間とか社会にとって有益なものを生み出すものであり、そのために力を発揮すること自体に意味が感じられるものであるし、その中で能力を伸ばして成長に資するものでもある。他者とのつながりや交流が生まれるものでもある。本来は意義と喜びに溢れたそうした過程が、資本主義によって完全に崩されている。このことを「疎外論」によって強く意識して「資本主義はとんでもない非人間的な社会のあり方なんだ。これは絶対に変えないといけない」なんてことを考えたりもするわけです。

茂木　なるほど。左翼の人たちの気持ちが少しは分かってきました（笑）。

資本主義が「疎外」を解消しだした

茂木　それで朝香さんは共産主義者から脱したということは、こうしたマルクスのものの見方は正しくないと今では思っているわけですよね。それをちょっと説明してもらいたいのですが。

朝香　まずは今取り上げた「疎外論」から行きましょうか。この資本主義の中で生まれる「疎外」は、社会主義になったら克服できるのかと考えた場合に、それは無理ではないかということに私は気付いてしまいました。マルクスは封建社会の生産力の限界を突破するために資本主義が誕生したという見方をしています。そうすると効率性を重視した分業が発達した生産システムを社会主義になっても引き継ぐことになりますね。となれば、同じ機械を社会主義でも作動させることになるわけです。資本主義の時には疎外は生じるけれども、社会主義になったら疎外は克服できるという話にはならないですよね。

茂木　なるほど。「疎外論」はたいへん鋭い観察から生まれたものだということにはなるのかもしれないが、社会主義になったら解消するというものではなかったということですね。

朝香　次にこの「疎外」の問題は資本主義制度の中でもどんどん克服されていっていることも指摘したいのです。確かにベルトコンベアの流れ作業に多くの従業員が非人間的な労働を強いられるなんてことが、かつては普通にありましたが、現代ではこうした非人間的な労働はロボットによってどんどん代替されてきましたね。

茂木　非人間的な労働環境は現実の社会の中からはどんどん姿を消しつつあり、その点でも疎外の問題はどんどん小さい問題になってきているということですね。

朝香　はい。さらに産業が高度化して、マルクスが頭に描いた第二次産業が中心の社会のあり方から第三次産業が中心となる社会のあり方に変化したことも大きいと思います。第三次産業では直接に人間を喜ばせるような、相手に奉仕するような仕事がどんどん増えていて、この点でも疎外の問題は随分と小さくなったと思います。もちろん相手を騙してぼったくるようなこともありえますが、少なくともあくどい商売ばかりが資本主義における仕事ではないですよね。

茂木　嘘をつかなくても誇りを持ってやれる仕事もたくさんありますね。

朝香　相手企業にどうやったら貢献できるかを考えていろんな提案を行ったり、また相手企業の要望を取り入れて自社のシステムを改めるなんてことも、広く行われていますね。

パートナー企業との間で、自社が得した分、相手が損するというようなことではなく、一緒に利益を増やしていくような会社のあり方も増えています。お客さんの具体的な問題を取り上げて、今まではないやり方での問題解決を真剣に考えるクリエイティブな仕事だってどんどん出てきていますよね。マルクス的な疎外された労働のイメージからどんどん脱してきているのが現代の資本主義であり、その傾向は今後ますます強まっていくことになると思います。

なぜ社会主義経済は破綻したのか

茂木　疎外論以外でもマルクスの間違いというのはありますか。

朝香　いろいろありますが、まずマルクスの見方だと、現実の需要動向と無関係に個別企業がバラバラな判断に基づいて自社製品を作っているかのように言うわけですが、これって本当に正しいのかと考えた時に、それは違うぞということに気付いたわけです。自社製品にどれだけの需要があるのかを考えずに生産をすれば、過剰生産に陥って在庫の山ができてしまう危険性がありますよね。それは倒産に直結するだけに、そんな愚かな選択は現実にはしていないのです。取引先からの過去の引き合いとかをベースにして生産量を考えていて、さらに取引先から「もうちょっと増産してくれ」とか「少し減らさせてくれ」と言われて、こうした依頼に生産量を合わせているのが普通のあり方です。生産量に関しての情報伝達が企業間でなされていて、その仕組みの中で現実の生産はいい案配で調整がなされているわけです。

茂木　人間社会では急にブームが起こるなんてこともありますよね。そうすると事前の計画なんて全く役に立たない。

朝香　マーケットメカニズムは「神の見えざる手」とよく言われ、神秘的に捉えられることが多いのですが、発注量の変化に応じて生産量を調整するシンプルな仕組みもこの調整機構の中で重要な役割を果たしていると見ればよいかと思います。

茂木　高度な分業に合った情報伝達の仕組みが資本主義では進んできて、需要の変化に対応して供給が調整されるメカニズムを資本主義は持っているということですか。

朝香　そのとおりです。もちろん現実の経済にあってはイケイケドンドンのブーム期もあれば、ブームが終わって突然に経済がしぼむということも起こるわけですが、これってもともと非合理で不安定な人間心理が生み出している、極めて人間的な現象でもあるのですね。みんなが一斉に欲しがることがあったり、かと思ったら突然飽きちゃったりするなんてことがあるじゃないですか。エアロビクスダンスがはやって、急にレオタードがブームになるなんてこともありましたよね。もちろんブームがあれば、ブームが破裂することもある。先行きの心配なんかしないでジャンジャン作っちゃえって感じだったのが、一気に将来が不安になって急にしぶちんになるなんてこともあるわけですよ。

こうした波があることが資本主義の欠点だとよく指摘されるんですが、こうした波は人間のコロコロ変わる心理を反映している側面が強くて、実は人間の自由とも深い関係があるんですよ。自由に生きようとするわがままな人間たちが社会を形成し、それによって波が生み出される。それを認めてそれに合わせていくのが自由な資本主義だということもできます。

茂木　理想を求めて波をなくせというのは、人間が人間をやめないとできず、この話は私たちの自由とも深い関わりがあるということですね。

朝香　そうなんですよ。人間が自由に活動すれば、こうした波ができるのは必然なのです。この波に翻弄されるのは確かに辛いところはあるんだけれども、こうした波があることを所与のものとして認めるべきではないですかね。しかも、こうした波は経済政策によってかなり対処できるものでもあるんですよ。

茂木　不況になったら、積極財政なんかで補うことで対処できるということですね。

朝香　また賃金の決まり方ですが、労働力の再生産ができる程度の低い金額に設定されるようにすべての企業が動いているというのも、ちょっと違う気がしますね。他の企業よりも高い給料を支払って、良質な労働力を集めようとしている企業だってあります。予備校なんかでも、優秀な先生を集めるために結構高い給料を払っているところも多いですよね。特別な技量を持っている人を雇おうとすれば、それなりの金額を出さなければならないということも当然あるわけで、生きていくのにギリギリのお金しか渡さないとは限らないのです。

そもそも政府が失業率を低く抑えるために積極財政策を打ち出して、労働者不足ともいえる状況を政策的に作り出すこともできますよね。こうなると労働者の取り合いから賃金が上昇し、社員の処遇を改善する動きを促進することもできます。そうなるとなるべく人手に頼らない経営を目指そうとして、「もっと省力化のできる機械を導入しないといけないな」とか考えて、生産の効率化を推し進めるようなことも企業経営者は考えますよね。

茂木　なるほど。そうなるとマルクスが資本主義の矛盾だと考えていたことが、資本主義の枠内で解決可能だということになるわけですか。

朝香　そういうことになります。バラマキ型ではなくて、国全体の生産力の引き上げに貢献できるような投資型の積極財政を政府が長期的な計画に基づいて行うならば、長期的な需要の成長が見込めることになり、民間の投資も活発化します。そういう好循環を作るというのが政府に求められている働きではないかと思います。ここがきちんとできるならば、マーケットメカニズムがしっかり機能する社会は、人々にとってかなり暮らしやすい社会になるのではないかと思います。

茂木　ところで現実の社会主義経済はマルクスの予想に反してうまく行かなかったわけですが、こちらにはどんな欠点があったのでしょうか。

朝香　社会主義においては資本主義の否定が前提になっているので、資本主義的なあり方をネガティブに判断してしまうところがあります。マーケットメカニズムはけしからんとか、資本主義的競争は弱者である労働者に矛盾をしわ寄せさせる元凶だからなくさないといけないとか、採算性なんてことを重要視するから非人間的労働を助長するのだといった感じなわけです。そうなると、採算性も効率性も考えずに生産活動をしようとするので、社会が回らなくなります。そんな会社はごく一部で、残りはしっかりとやっているというのであれば、その一部の企業を助けるということもできますが、企業がみんなそんな状態だとどうしたっておかしくなるに決まっています。

茂木　しかも採算性や効率性を考えない企業はお客さんの側からしたら魅力がないですよね。国有企業であった国鉄が民営化されてJRになってから、サービスも随分よくなりました。駅ナカのお店がどんどん作られるようになったのは、JRが金儲けを企んだからかもしれませんが、利用者はそれで便利になっているわけですよね。

朝香　そうなんですよ。駅ナカのお店といえば、昔はキオスクと立ち食いそば屋くらいしかなかったのが、コンビニとか本屋とかカフェとかもできて、どんどん便利になりました。資本主義だからけしからんというわけではないのです。

茂木　社会主義では優良企業がしっかりと稼ぎを上げたとしても、それは中央政府のものになってしまう。そして赤字経営の会社を救済するのに使われておしまいになる。利益を上げることがインセンティブにならないという問題もありますかね。

朝香　そうなんですよ。社会主義では他社にさきがけて革新的な機械を導入して、周りを出し抜いて莫大な利益を稼いでやろうといった野心は働かないですよね。むしろ先進的な機械を導入して余った労働者を作り出してしまうようなあり方は好ましくないという判断になりがちなわけです。とすると、生産能力を引き上げていくということに向いていない社会体制だということになります。

茂木　そうなると生活水準を高めていくのには向いていないということになるわけですか。

朝香　そのとおりなんです。共産主義者は資本主義における搾取の問題を絶大なものだとして捉えて、搾取をなくせばみんな楽して楽しく暮らせるかのような幻想を抱いていたのです。ところが搾取というのは実はさほど大きな問題ではなかった。きちんと競争原理が働いていれば、法外な搾取なんてできなくなっていくんです。厳しい価格競争に晒されていれば、楽して儲かるような価格設定はできなくなります。北海道や九州で作られた野菜とか果物が、多額の流通コストも掛かっているだろうに、首都圏のスーパーの店頭でどうしてあんなに安く売ることができるのか、まじめに考えるべきだと思います。搾取なんて大した問題ではなく、実は国全体の生産力がどこまで引き上げられているのかが、私たちの暮らし向きに最も大きな影響を与えているということに気付いていなかったんですね。私たちは自分たちが作り出したものを交換することでしか暮らせないわけです。作り出したもの以上を消費することはできない。だから私たちの暮らし向きには生産力というものが最も重要なんですよ。

茂木　それなのに共産主義者は企業が生産性を革新した新たなシステムを導入しようとすると、「首切り合理化、反対！」という動きに出て、却って生産性の向上を邪魔しようとする。これは、暮らし向きの向上とは結果的には逆向きの動きになるわけですね。

朝香　そうなんです。個別企業では人員整理があったって構わないんです。政府が低失業政策を実施していて、余った人員が別の部門で容易に吸収されるようになっていれば、そんなことは全く気にしなくていいのです。そのことよりも一国全体の生産性をどう高めていくかに、私たちの暮らし向きは大いに依存するわけです。

社会主義は人間の可能性を狭める

茂木　社会主義になると自由がなくなるというのは間違いないですか。

朝香　この問題はすごく大事な問題で、共産主義者は社会主義になることで自分たちは本当の自由を手にできるようになると信じているところがあるんですよ。それは結局幻想に過ぎないのですが、そのことに彼らは気付いていないということがあります。

茂木　それはどういうことですか。

朝香　資本主義では市場競争に打ち勝つことにみんな駆り立てられるから、正直にものが言えないなんてことも多い。大してお得でもないのに、「今、キャンペーンをやってまして、大変お得ですよ！」なんてことを言わなきゃいけなくさせられる。自分の会社が扱っている商品の悪口なんて普通は言わないし、競合他社の商品を実際以上に否定的に話したりもする。だが社会主義になれば、そうした競争原理から解放されるから、そういうウソをつく必要もなくなり、みんな正直に暮らせるようになるんだみたいなことを素朴に思っていたりもするのです。

茂木　なるほどね。でもお客さんとして丁寧に扱われるのって、大切なことだと思うんですがね。社会主義だとそもそもそこがダメになりますよね。

朝香　そこが共産主義者には見えていないんですよ。理想を言えば、お客さんとして丁寧に遇してくれる中で、全部正直に話してくれたりっていうのが一番なのかもしれないんですが、この両者がなかなか両立しないというのが世の常にならざるをえないわけですよね。そこが彼らには見えていないんですよ。

茂木　「今、キャンペーンをやっていまして、大変お得ですよ！」って言われたって、「ハイハイ、いつもの手ね」って感じで、めちゃくちゃお得だとはあんまり思わない。でもその一方で、「あなただけですよ」なんて言われると、半分ウソだとわかっていても、悪い気はしないってことないですかね。

朝香　まちがいなく自分のことをオッサンだとしか周りは認識しないだろうと思っていても、「そこのお兄さん！」って声掛けられると、ちょっと嬉しいみたいな（笑）。

茂木　そうそう。そういう虚実皮膜的な（笑）。

朝香　そういう人間関係の潤滑油的な意味もありつつ、お互いに文字通り取ってはいけないことをわかりながら交わす会話というものは、欺瞞だとして一方的に否定すべきものだとは思えないのですが、まじめな左派の方たちはこういうのを許せないという気持ちを持っちゃうんですよね。その点も残念なわけですが、もっと残念なのは、実は社会主義体制が個人の自発性といったものを必要としないということに彼らが気付かないところです。

茂木　共産主義になったら、人間が全面的に発達することのできる社会になるという共産主義の教義を、彼らはそのまま信じているということですね。

朝香　そのとおりです。ところが社会主義では計画経済の中で、指示されたものを指示された数量だけ作りさえすればよいわけで、製品の改良、新製品の開発、ムダの削減、生産工程の改良などなどのために創意工夫を発揮するインセンティブが働かないことになってしまう。

茂木　人間はもともと怠惰ですから、一部の熱い人が「改善」を提案しても、「そういう面倒くさいことはやめとこうよ」というのが全体の空気になりやすいですよね。資本主義でもそうなのに、社会主義でこういう自発性が発揮されるのは、ちょっと考えにくいですね。社会主義のもとでは労働倫理も低下しちゃいますよね。

朝香　今までにない画期的アイディアというものを思いついて、どうしてもこれを実現したいと願ったとしても、社会主義の計画経済のもとでは取り上げられる機会はほぼないでしょう。資本主義ではそうした個人の発案を実行に移すのは、できることも多いですよね。その発案がうまくマーケットに受け入れられずに挫折することも数多くありますが、中には大化けするものも出てくる。それが世の中を大きく進歩させることにつながっていく。

茂木　そういうダイナミズムは社会主義のもとでは期待できないですね。

朝香　社会主義に基づく計画経済においては、社会的に必要とされる需要量に応じた生産量をあらかじめ合理的に決定しなければいけないわけですから、中央集権的な構造を必然的に志向することになります。資本主義のような多様なものを生み出すということも起きないんです。

私はネクタイとかハンカチとかに対してコミュニケーションの手段としての役割を見出していて、ちょっと変わった面白いものを身に付けていることが多いです。お正月用とか、節分用とか、ウクライナ国旗のものとかいろいろとありますが、それをしているだけで会話の糸口になってくれるわけです。ですがそういうことを社会主義の計画経済で意識するはずはなく、つまらないものばかりが生み出されることになります。資本主義だとマグカップ一つとっても、いろんなデザインのもので溢れかえっていて、その中から自分がほしいと思うものを選び取る楽しみがありますが、社会主義だと世の中に必要とされるマグカップの数量は何個かだけが問題であって、それで飲み物を入れて飲めればそれでいいという判断にしかならないわけです。

茂木　自分の欲しいデザインのものを選びに選んで自分の生活を豊かにするようなことはできないということですね。

朝香　私はそういう生活の潤いって大切だと思うんですが、社会主義だとそういう生活の潤いは著しく軽視されるということになるわけですね。むしろそのような生活の潤いを求めることを、「資本主義の過剰な商業主義に乗せられた哀れなあり方」のように捉えたりするのです。私からすれば余計なお世話なんですよね。商品選択の幅が狭まることによって、そういう点での自由度も削られることになる。資本主義を花開かせればどんどん面白い商品が出てきて、表現の幅が格段に広がるのに、社会主義だとそういうあり方が奪われてしまう。そういう点でも社会主義は人間の可能性を狭めてしまう社会制度だと言えると思います。

社会主義になると特権階級が生まれてしまう悲しいお話

茂木 社会主義と権力集中の問題はどう考えますか。

朝香 この点もすごく大切なところですね。共産主義を信じている人たちは実は幻想を抱いているのです。エンゲルスは、「階級がなくなり、生産手段の私的所有というものが失われていく中で、社会関係への国家権力の干渉は徐々に小さいものとなっていくから、最終的には国家は眠り込むように死滅するのだ」と述べています。ある日をもって国家を廃止するというのではなく、徐々に国家権力の必要性がなくなっていき、抑圧機関としての国家はいつの間にか消えてなくなっているというわけです。

茂木 国家からの干渉がなくなり、もっと自由に暮らせる社会が最終的にはできるんだと、素朴に信じているってことですか。

朝香　そうなのです。だから彼らからすれば、プロレタリア独裁なんかは一時の過渡的な制度にすぎないと思っていたりするわけなのですが、現実を考えたらそんなわけはないだろうということになるんですね。

茂木　朝香さんは社会主義のもとで強大な権力が生まれることをどう見ていますか。

朝香　資本主義では個別企業が何をどのくらい作るかをそれぞれが勝手に決めればいいということになります。それぞれの企業は取引先とのやりとりの中で、もうちょっと生産を増やしたほうがいいかなとか、ちょっと減らさないとまずいなとか、そんなことを思いながら個別に勝手に動いて調整が進んでいきます。ところが社会主義のもとで計画経済をやろうとすれば、生産に関してのありとあらゆる情報を国家の手に集中させるようなことをやらないといけなくなりますよね。そうなると、資本主義下の大企業や政府などとは比較にならない情報の集中が政府の手によってなされ、それに基づいた判断が計画的に行われるわけですから、強大な権力が政府に集中することになるのは必然なんですよ。

茂木　計画経済を行う以上、権力集中は逃れられないということですね。こういう問題をマルクスは扱っていないですよね。

朝香　扱っていないです。マルクスは資本主義を倒すために資本主義を分析するというところにエネルギーを集中させて、できあがる社会主義がどんな社会になるのかというところを実は扱っていないのです。

　彼の中では階級という観点が非常に強調されていて、社会主義が誕生して労働者階級だけからなる国家が誕生すれば、階級の問題が解決すると単純に捉えられていたとも言えます。だから社会主義でノーメンクラツーラと呼ばれる特権階級が生まれ、彼らが情報も権力も独占していく状況を頭に描いていなかった。彼の中では彼の時代の資本主義の中でのむごたらしい労働者の状態をなんとかしないといけないとの思いが強かったのでしょう。

　この社会状況を抜本的に改革する道筋を作り上げることに必死で、自分の理論が生み出す理想社会では資本家が消えるから、もう階級対立はなくなって、やがては資本家を抑え込まなければならないような強大な権力も必要なくなって、国家は眠り込むように死滅するにちがいないとの素朴な考えを持っていたのだろうと思います。

茂木　でもその社会では情報と権力の集中が不可避であり、資本主義国家の政府や大企業を遥かに凌駕する強大な権力を現実には作り出さざるをえなかったし、その中でノーメンクラツーラと呼ばれる特権階級が生まれてくるのも必然であった。悲しい話ですね。

「私が左翼から抜け出られた理由」

茂木　他にも共産主義者が信じていることってありますか。

朝香　ありますね。「資本主義なんて絶対ダメに決まっている」という思いがあります。直感レベルで言えば、普通に生活していて「この資本主義という制度ってめちゃめちゃいいな」ってあまり思わないのが普通だと思うんです。そもそも、私的利益のために物事をするのか、公的利益を考えてみんなが働くのがいいのか、どっちがいいですかって言われたら、私的利益は横に置いておいて、公的な崇高な利益のために働くほうがいいに決まっているとみんな言いますよね。

それなのに現実の資本主義の世界はまさにこれと真逆じゃないですか。資本主義では公的利益なんてどこ吹く風で、私的な利益を徹底して追求するようなことが行われているわけですよ。あこぎなこともやる人も珍しいわけではないですよね。人を騙して金を儲けるようなことをやるような人たちも間違いなくいますよね。しかもそれでも法律ぎりぎりで切り抜けられれば、法的にも問われることもなく、のうのうとして生きていられるわけです。

茂木　そんな社会を見て、この資本主義は素晴らしいなんていうのは、それはもう人間としてありえないという感じなんですかね。

朝香　そうなんです。私が元左翼だったというのは、まさにそこに完全にはまっていたわけですよ。そこに完全にはまっていたから、資本主義の否定は完全なる真理だと思っていて、そこから出発していたわけですよ。この直感を他の左派系の人たちも恐らく共有しているんだろうと思います。

茂木　彼らからすれば、この直感が間違っているなんてことは絶対にありえないことなのに、自分たちを批判してくる奴らは存在も認められないみたいな感じですか。

朝香　そうなんです。彼らはそこで思考が止まってしまっていて、現実の資本主義がなぜこんなに成功したのかがよくわかっていないんです。邪悪で汚（けが）らわしい存在だとしか思っていないから、なんだかんだ言っても資本家が強いから、この体制が崩れないんだろうくらいにしか考えていないわけです。

茂木　現実の資本主義がうまく行っているのを冷静に分析できないということですね。

朝香　日本を例に取って資本主義を考えた場合、乳幼児の死亡率はほぼゼロにまで下がり、平均寿命は八十歳を超えて、七十歳でもまだまだ若いと感じられるようになりましたよね。みんながスマホやパソコンを持って最新の情報を集めたり発信できるようになり、自分とウマが合う仲間を見つけてオンラインでグループを作って交流することもできるようになりました。冷蔵庫、洗濯機、電子レンジなどはもちろんのこと、エアコンや車があることさえもが普通のことになり、半数以上の人が大学に通うようにもなりました。海外を含めて行きたい場所に行けるようになったし、サマースポーツ、ウィンタースポーツを含めて様々なスポーツに親しむことだってできる。食料品の価格は驚くくらいに安く、地球の裏側で取れたグレープフルーツでさえ一個百円程度でスーパーに並んでいたりする。毎日いろんな食べ物を食べることができ、スイーツだけを取り上げても、いったい何種類あるのかわからないほど出回っている。

茂木　政府をどれだけ口汚く批判しても、しかもその批判が全部つくり話であったとしても、逮捕されない。一人ひとりに国の方向を決めることに関われる参政権が与えられ、政府は国民の意識がどこに向かうかを意識しながら政治を行っている。

朝香　こうしたことを冷静に考え直してみた場合に、この資本主義は何としても破壊しなければならないほど邪悪な体制なんかではないということに気づくんです。左派＝「リベラル」派の側からすると、効率優先の資本主義が打倒の対象として批判的に語られているわけですが、皮肉にもその効率優先によりかつてなかったほど豊かな世の中が生まれ、私たちの生活は革新されている。客観的に見れば、江戸時代のお殿様なんかよりも遥かに物質的に豊かな生活を私たちは送っているんですよ。空調や医療制度を考えてもわかるでしょうが、食べ物だって現代のほうが遥かに恵まれているはずです。現代のコールドチェーンに守られたスーパーのお刺身は、江戸時代のお殿様が食べていたお刺身よりも美味しいはずです。駕籠に乗って出かけるより、車や電車で出かける方がずっと快適で効率的ですよね。もちろんどんな社会でも完璧などということはないから、粗を探せばいくらでも問題を取り出すことはできるわけですが、粗ばかりを取り上げるのはバランスが悪いことに、自分は気付いたのです。

茂木　彼らは資本主義が生み出す具体的なメリットを理解することができず、否定的なところばかりを見ているということですね。

朝香　チャーチルが「民主主義っていうのは最悪の政治制度である。これまでに存在した他の政治制度全てを除いては」っていう言い方をしたのと実は似てるんじゃないですかね。実際の民主主義は理念とは違って全然きれいなものではなくて、ドロドロしたものではないですか。本気で国のこと、国民のことを考えている政治家なんてごくわずかしかいない。カネがある方が強くて、金儲けの手段として政治家をやっているような人も多い。だからこんな汚らしい政治を理想として持ち上げるなんて、絶対に間違っているって思っちゃってもおかしくはないですよね。ですが、弱者に鞭打つような政策を採用すれば、次の選挙でひどい目に遭うことを覚悟しないといけないから、実際には採用しないわけです。ということは、資本家や財界の顔色ばかりを気にして政治をしているわけではないということになります。

茂木　政治とカネの話でいけば、与党議員だけでなくて野党議員だって本音としてはあんまり厳しい規制は望んでいない。それでも野党になった時に、与党を追い詰める手段として政治とカネの問題を持ち出して、「政治資金をもっと厳格に管理すべきだ」なんてことを言い出す。その一方で、そんな提案が実際に通ってしまうと、自分たちの首も絞めることになるから、本当は通したくない。ところが運命のいたずらでそんなものが通ってしまうなんてことも起こりうるわけです。与党と野党の間に緊張感があることが、政治を前進させていく力になることは見ておくべきですよね。

朝香　そのとおりです。そしてこの民主主義に対する見方と同じことが、資本主義についても私は言えると思っているんですよ。つまり、「資本主義は最悪の経済制度である。これまでに存在した他の経済制度を除いては」というのが実は真理ではないのかと。私的利益を追求する資本主義は本当に徹底的に腐ったとんでもない制度なのだろうかと。

茂木　確かに表面的に見れば汚いものがいろいろと目につくから、手放しで最高の制度だとはとても思えないけれど、現実に果たしている役割を冷静に見ていけば、これに代わる制度はないことに気がつくということですね。

世界中がレーニンに騙された

朝香　そうです。それに加えて、私はレーニンの『帝国主義論』の影響も大きいなと思っているんです。『帝国主義論』というのは、資本主義が発達して少数の独占的大企業によって市場が支配される「独占資本主義」と呼ばれる段階になると、植民地分割戦争を必ず志向することになるということを書いた本です。この『帝国主義論』的な認識は教育界の主流派になっていて、教科書にもそういう記述がなされていますよね。これに洗脳されて、資本主義は必ず戦争を必要とするんだと思えばなおさら、そんな邪悪な体制はなくすべきだということになりますよね。

茂木　もし「帝国主義論」が正しいのであれば、資本主義国どうしが自滅的に戦い合うのをじっと待って社会主義にすればいい。でもレーニンは「二つの資本主義的国家群のあいだの対立と矛盾を利用し、彼らを互いにけしかけるべきだ」と主張して、そんな受動的な態度はとらなかったですね。むしろ対立を煽って戦争を起こそうとさえしていました。

朝香　そもそも市場原理というのは、買い手はなるべく安く売ってくれるところを求め、売り手はなるべく高く買ってくれるところを求める経済制度です。「市場原理主義はグローバリズムを志向する」とよく言われるように、売り手も買い手も国境などの制約のないマーケットを求めるのが資本主義です。ですが、植民地とは特定の地域を自陣営に囲い込むことであって、本質的には市場原理に反する「反資本主義」的な存在だというのが実際なんですよ。

茂木　植民地というのは資本主義にとって必要不可欠ではないのは、植民地というものが地上からほぼ一掃されてから何十年にもなるのに、資本主義がそれによって危機に陥らなかったことからも明らかですよね。資本主義は植民地を必要とし、従って植民地の分捕り合戦を必要とする邪悪な体制だというのは、レーニンが社会主義革命のために作り出したプロパガンダ理論だった。世界中がこれにすっかり騙されたと理解すべきですね。

第六章

世界を覆うフランクフルト学派＝隠れマルクス主義者

「教育とマスメディアを握れ」

朝香　共産主義者が政権を握ったのは、後進国のロシア、中国、東ヨーロッパ、北朝鮮、キューバとかだけで、肝心の先進国の革命が全く成功しなかったじゃないですか。こうした中で先進国内で起こってきた「隠れマルクス主義」ともいえる流れについて考えてみたいと思います。

茂木　この観点から言って真っ先に取り上げたいのは、イタリア共産党のアントニオ・グラムシですね。イタリア共産党はイタリア社会党の中で根を張って、やがてここから飛び出して作られた政党です。

朝香　イタリア社会党は、結党時は革命を目指す社会主義政党だったのですが、労働者の間に支持を広げていく中でどんどん穏健化して、議会制民主主義を重視して漸進的に社会をいい方向に変えていこうとする社会民主主義政党に変わっていきました。これに不満な勢力が共産党として独立したものです。

茂木　グラムシはイタリア社会党に入党後、機関紙『アヴァンティ!』の編集に携わりました。その時の編集長があのムッソリーニでした。ムッソリーニというとバリバリのファシストで「極右」ですが、社会主義者から極右に転向したわけです。ただ、彼が求める全体主義的な性質は実は本質的には社会主義と共通しているという点は、注目しておきたいところです。極左も極右も根は一緒、ということです。

朝香　マルクス主義の基本的な考え方は、唯物論という哲学に基づき、下部構造（経済のあり方）が上部構造（政治制度や考え方）を規定するというものです。唯物論というのは、この世には物質的なものと精神的なものの両方があることは認めながらも、より根源的なものは物質的なものであるとする見方です。経済という人間の生活を成り立たせている物質的な土台（下部構造）に基づいて、これに適合する政治制度や法律といったものが組み立てられ、さらにこれらに整合性のあるものの見方が作られていくと考えています。こうした政治制度、法律、ものの見方などを「上部構造」と呼び、下部構造が上部構造を規定すると考えるわけです。

茂木　ところがマルクス主義者であるはずのグラムシが「下部構造が上部構造を決定する」というこの唯物論的な考え方を「神秘主義」と呼んで否定するわけです。

『グラムシの生涯』を書いたフィオーリは「宿命論的堕落」という言葉でグラムシの考え

を表現しています。今取り組むべき課題があるのに、経済条件が整うまで待つというのか。そんなのは堕落だと。

朝香　グラムシはこの点に関して興味深い言い方をしています。一人の人間が抱いた「意志」が多数の人々によって迎えられ、やがて「良識」として共有され、最後には一つの論理を持った「世界観」にまで高まっていったのだと。これはまさにマルクスがこの弱者が貧苦にあえぐ世界を変えないといけないと考えた「意志」が、多くの人の共有するところとなり、この流れで世の中について考えることが「良識」となり、最終的には革命を求めるマルクス主義という思想が「世界観」にまで高まり、世界を変える力になったことを取り上げているわけです。

茂木　ルソーの「一般意志」が形を変えて受け継がれていますね。グラムシに特徴的なのは「政治」という上部構造を捉える際にも、単なる固定的な政治制度や組織のように見るのではなく、人間の持つ意識、生活様式、慣習といったものをまとめていく枠組み的な捉え方をしているところです。イデオロギーといいますか、意志といいますか、そういうものと非常に近いものとして「政治」を見ていたところがあります。

朝香　その点で興味深いのは、マスメディアが政治的党派からは自立した立ち位置にあることをグラムシは認めながらも、「有機的な党の知的参謀本部」として機能しうることに着目しているところです。そしてそのような役割を通常の新聞などに限定することなく、一般的には非政治的とみなされる情報誌などの類も、こうした機能を持つものとして捉えうるところに目をつけているわけです。

茂木　マスメディアは人々の行動のあり方を規定する役割があるから、ここをバカにしてはならないと考えていたのですね。

朝香　私たちが食事の時に手を合わせて「いただきます」とか「ごちそうさまでした」とやることに、政治的な色合いはまったくないと感じるわけですが、だがこれらの行動であっても、行うたびに伝統的意識を強化するものになっているというところにグラムシは着目したともいえます。手を合わせて「いただきます」「ごちそうさまでした」と感謝を示す人間が、革命のために動くということはなさそうですよね。こうした伝統的な行動をマスメディアは変えていく力を持っているというわけです。

茂木　グラムシは「ヘゲモニー」というものを強調しますね。「ヘゲモニー」は「覇権」と訳されますが、この場合は主流派が持つ知的、道徳的なパワーって感じですかね。伝統的な行動は、支配される側でもただ単に伝統としてやってきたからという理由だけで、特に考えずに行っている。こうした伝統的な行動は支配者階級が力づくで押し付けるようなものではなく、被支配者階級が無自覚的に受け入れているものにすぎない。だが、そうした伝統的行動には現体制を支える政治的な役割もあり、これが革命の障害物になっている、というわけです。

朝香 だから経済制度としての資本主義をひっくり返すより前に、資本主義の中でもヘゲモニーを握っていくように戦っていくことができるはずである。世の中が「当然」だとみなす価値観を、旧来のものから新しいものへと変えていくことができれば、それに伴い政治体制を徐々に変革していくことはできるし、最終的には経済体制をひっくり返すこともできるようになる。資本主義の中でマスメディアなどのさまざまな知的文化的装置が発達するわけですが、これらはヘゲモニー装置として機能しており、その力を正当に評価すべきだ、これをきちんと活用することが社会主義につながる道になるのだと、グラムシは考えたわけです。

茂木 共産主義者というと闘争的スローガン、激しいデモなど世間から遊離しているイメージが強いのですが、実はそれとは全く違う戦い方がある。マスコミなどの文化装置が流してくる情報に人々は毎日自然と触れ合っているから、こういう分野にどんどん浸透していけばいい、と。

朝香　そうすれば、旧来の価値観を徐々に崩壊させることができ、人々が新しい価値観に知らず知らずのうちに染まっていくようにできる。それが社会を崩壊させるのに役に立つ。

茂木　グラムシの中には、ロシアのように経済的に遅れたところで革命が起こったのに、ヨーロッパでは革命騒ぎは全部挫折してしまった、しかも彼がいるイタリアでは社会主義に向かうどころか、ファシスト党が政権を握り、彼自身も投獄されています。いったいどういうことだという思いが出発点になっていたのでしょう。イタリアではカトリック教会が強い伝統的影響力を持っていて、カトリック教会が持ち込む倫理観が人々の頭の中を支配している。そんな中で無神論を唱える共産主義が勝てるわけがない。伝統的、キリスト教的な価値観を崩壊させるには、文化的ヘゲモニーを自分たちが握るということをまじめに考えるべきだ。そういう議論として理解するとわかりやすいと思います。

朝香　そういう点で握るべきところとして特に重要なのは、教育とマスメディアだということになります。人間の考え方を操るのにこれらは極めて重要な役割を果たすからです。教育やマスメディアを戦場とする「文化的マルクス主義」の誕生です。

労働者は窮乏化せずに豊かになってしまった

茂木　このグラムシの理論を発展させたのが、グラムシの盟友とも言うべきトリアッティで、彼は第二次大戦後にイタリア共産党の書記長、要するにトップになりました。彼は、ロシアで行われたボルシェビキによる革命とか、中国で行われた毛沢東の革命といったものばかりが社会主義への道ではないぞ、イタリアにはイタリアの現実に即した、異なった革命の型があってもよいはずだと主張します。この流れは「ユーロコミュニズム」と呼ばれる動きへと発展し、先進国で革命を起こす理論として他の先進国にも波及しました。

朝香　マルクスやレーニンの主張は大きな精神的武器ではあるが、革命を最終的に方向づけるものは、ぞれぞれの国の歴史的、社会的条件なのではないか。彼らが主張する暴力革命路線をイタリア共産党が採用しないからといって、修正主義だ、日和見主義だと悪罵を投げつけるのは正しくない。マルクスやレーニンが今生きていたら、新しい歴史的段階に見合った新しい強固な社会主義思想を創り出していくことを目指したはずで、我々が行っているのはそういう路線なのだというわけです。

茂木　トリアッティはこの立場から、教員組合やマスコミの中にどんどん浸透していって、メディアや教育をがっちり握って、これまでの伝統的かつ保守的な考え方があらゆる差別や貧困や不平等の元になっているとの前提に基づき、まずはそうした保守的な考え方から人々を「解放」する路線を選択したわけです。

朝香　グラムシと同時期にグラムシと似たような問題意識を持っていたことで注目しておきたいのがハンガリー人のルカーチです。

茂木　ハンガリーではロシア革命に続いて革命が起きて、ハンガリー・ソビエト共和国というものができました。要するに共産党政権ができたわけです。ルカーチはこの共産党政権の中で教育文化大臣になって伝統的な性道徳を批判し、「性の解放」を教育課程に取り入れた人物です。この政権はすぐさま倒されてしまい、地下に潜って活動を始めたルカーチは身の危険が迫ったため、その後は亡命生活を続けました。

朝香　ルカーチもグラムシ同様に、経済的な条件が成熟してくれば革命が起こるという見方を否定していました。また、資本主義が危機に陥っても革命が成功しない原因について、ブルジョワ支配階級からの弾圧のせいばかりにするのは正しくないとも考えていました。それよりも問題は労働者大衆の側にあるのだというのが、ルカーチの議論の重要なところです。「資本主義が発達すれば労働運動も確かに自発的に起こってくるけれども、所詮は組合運動にとどまるのであり、自分たちを真に解放するために革命を起こすというレベルには到達しないのだ」とルカーチは考えます。この点についての考察を深めたルカーチは、資本主義が発達した国における労働者大衆の意識は、実際には徹底的にブルジョワ的なものでしかない、つまり体制変換を求めるようなものにはなっていないと指摘します。

茂木 これはある意味では正統派マルクス主義の否定ですね。マルクスは資本主義という下部構造が発達する中で、上部構造としての社会主義が自然と準備されていくとの考えに立っていました。ところがルカーチは、「資本主義がどれほど進んでも、社会主義を求める意識が労働者大衆の中では育っていかない、それどころか労働者大衆の意識はブルジョワ的になるのだ」と言っているわけですから。

朝香 そしてこの問題は非常に根深いものだとルカーチは考えました。労働者大衆が社会主義を無意識レベルでも求めているのであれば、その無意識を意識的なものへと転換させればいいはずだが、ルカーチからすればその無意識レベルでも労働者大衆は社会主義のことをそんなに考えていないということになります。

茂木 ちょっとくらい新しい情報を与えたくらいで、労働者大衆の意識は変わらない。そのくらい根深い資本主義に毒された意識が彼らを捕らえていると。

朝香　資本主義は人間を含めてあらゆるものを合理的な計算の要素に還元していく。「本来は人間と人間との関係は相互に人格的な価値を認め合うようなものであるべきなのに、損得勘定にまみれた意識の中で、単なる要素と要素の関係として見るのが当たり前になっているのだ」と、ルカーチは言います。

茂木　このあたりの見方はマルクスの「疎外論」とつながる捉え方ですね。

朝香　そのとおりです。そしてこうした疎外状況に放り込まれた人間たちは、疎外状況を現実的なものとして受け入れてしまい、そこに大きな矛盾など感じなくなっているのだというわけです。そして、その中でうまく立ち回ることを自然と身に着けてしまっているのだとルカーチは考えます。だからこの資本主義にどっぷり浸かった意識を時間を掛けて根本的に変えていかないと、革命なんて起きようはずがないというわけです。

茂木　こうしてグラムシ同様に資本主義体制を成り立たせているような価値観を突き崩していくような上部構造における戦いが重要になると。

朝香　そういうことですね。だがこうなると、もはや社会主義は歴史的必然などではまったくないってことになっちゃいますよね。普通にしていたら労働者が革命を求めるようなことは起こらず、資本主義のままだという話なので。

茂木　マルクスは資本主義が進展すると、労働者はどんどん貧しくなっていくと考えていた。これを「窮乏化法則」と言いますね。だが現実の資本主義のもとでは、生産力の向上によって労働者の生活水準は逆に高まっていった。

朝香　「プロレタリアートは、革命においては鉄の鎖以外に失うべきものはなにもない」と共産党宣言には書いてありますが、ルカーチの時代には労働者でもタバコ、コーヒー、紅茶といった嗜好品を楽しめるくらいの生活の余裕が生まれるようになっていました。労働法制も少しずつ整い、苛酷な労働環境もどんどん減っていきました。だから別に革命など求めなくなっていたのです。

茂木　豊かになってきた資本主義の現実を素直に認めればいいのに、「資本主義は絶対悪だ、どうしても社会主義にしないといけないんだ」との思い込みから抜け出すことができなかった。その倒錯状況からどんどんおかしな議論に突き進んでいくことになる。

フランクフルト学派の「批判理論」とは？

朝香　こうしたグラムシャルカーチの強い影響を受けた「社会研究所」が、ドイツのフランクフルト大学に設置されました。ここに集まった人たちが後々に大きな影響を与えていくのですが、この一群の流れを「フランクフルト学派」と呼んでいます。「フランクフルト学派」をバカにしてはいけないのは、今や彼らのものの見方が西側各国でメインストリームになっていると言っても過言ではないからです。

茂木　フランクフルト学派を特徴づけるものに「批判理論」というものがありますね。社会研究所の第二代所長であるホルクハイマーがこれを明確にしました。

朝香　「批判理論」は「伝統的理論」と対置される理論です。「伝統的理論」は命題を矛盾なく整合的に提示するというのが求められていて、その中に矛盾があることは致命的な誤りだと、ホルクハイマーは指摘します。従って「伝統的理論」のあり方は今ある社会のあり方を所与のものとして受け入れ、その社会のあり方を肯定的に扱うことになっているのだという、やや強引な議論に持ち込みます。

さらに「伝統的理論」は観察する主体と観察される客体を分けて考えるので、考察対象の中に観察している自分たちが入らないようになっている、この結果として自分たちにとっての意味が見失われることになっていて、このあり方は欠陥だというわけです。

ではどうあるべきなのか、私たちは現実には矛盾に貫かれた社会に生きている。また私たち一人ひとりはこの社会の動きに否応なく巻き込まれるものであって、私たちとこの社会は不可分の関係にある。従って私たちが客体としてこの社会を捉えるのは正しくなく、私たちが生きる社会はそれ自体が大きな主体になって動いていると見るべきなのだと考えます。

この観点から、この主体として展開される現実の社会の矛盾をどうやってなくしていくかという実践的な課題に関心を向けるべきではないか。様々な学問の成果をこのような実践的な関心のもとに集約し、現状を変える力に変えていく理論としなくてはいけない。この理論が「批判理論」ということになります。

茂木 ホルクハイマーは伝統的なマルクス主義の用語を故意に避けていますが、この「批判理論」の持つマルクス主義的な性格がわかるでしょうか。この世の中は変革しなければならない矛盾に貫かれていて、これを廃棄する実践的な理論が重要だ。これまで唱えられてきた伝統的理論は現状社会を追認するようなものであって、そのまま認めるわけにはいかない。だから「変革せよ！」と言っているのです。

朝香 「批判理論」は現実社会には見過ごすことなど許されない矛盾にあふれていること

を前提とします。社会をおおむね肯定的に見るということが初めから禁じられていて、この社会を変革の対象として否定的に見ることが所与になっているわけですね。つまり、「批判理論」を一旦無批判に受け入れてしまうと、現状を肯定する視点は自然と消えてしまうことになるのです。そして彼らは教育分野、マスメディア、様々な教養・娯楽・文化に入り込み、私たちのものの見方自体に現状否定的な感覚というものを植え付けていきます。この中で左派＝「リベラル」派が次々と量産されていくことになるわけです。

茂木　左派「リベラル」の皆さんが、資本主義社会が生み出している肯定的なものを決して見ようとしないのは、まさに「批判理論」の観点から世界を見ているからだ、とも言えるでしょう。

自国を愛するのは極右思想で「汚らわしい」

朝香　彼らは伝統的なマルクス主義の用語をあまり使いません。ですからフランクフルト学派の成立の経緯を知らない人たちからすれば、彼らがマルクス主義的な問題意識をベースとしてできているということに気が付かないのだと思います。例えば、大学受験の現代文が扱う主要テーマの一つというか、最重要テーマと言うべき分野に「近代批判」とか「モダニズム批判」と呼ばれるものがありますが、ここで扱われている「近代」＝「モダニズム」とは資本主義が生み出した産業社会のことを意味します。これを批判するわけですから、実は「資本主義批判」なわけです。大学入試の現代文の読解問題を解けるように、受験生が必死になって現代文の勉強をしていく中で、彼らには知らずしらずのうちに現代社会を否定的に捉えるものの見方が埋め込まれているわけです。

茂木　ニクソン、フォード、レーガンといった共和党系の大統領のシニア・アドバイザーを務めたパトリック・ブキャナンは『病むアメリカ、滅びゆく西洋』という本の中で、このフランクフルト学派のことを辛辣に批判しています。ブキャナンの言い方をそのまま引用すれば、「勝利の大前提は西洋人がキリスト教精神を捨て去ること。それは文化教育制度が改革派の手中に握られてはじめて実現する。まずは、文化――『堅牢堅固な要砦(ようさい)』を支配せよ、さすれば国家――『外堀』――は労せずして崩壊する」というのが、フランクフルト学派の考えだということになります。日本ももう外堀が埋められつつある、と私は感じています。

朝香　フランクフルト大学の社会研究所はナチスに睨まれて閉鎖に追い込まれ、ホルクハイマーらはアメリカのコロンビア大学の社会調査研究所に拠点を移しました。ここには「抑圧的寛容」で知られるマルクーゼなんかもやってきました。このマルクーゼの議論もぜひ押さえておいてもらいたいなと思います。

茂木　「寛容」というのは、不愉快な意見に対してもその存在を認めるということです。ヨーロッパではカトリックとプロテスタントの間で互いの考えを受け入れられないということで激しい宗教戦争を行ってきた。フランスのユグノー戦争なんて三十五年以上戦っていた。互いに殺し、殺されというむちゃくちゃな状態の中で、自分と考えの違う人間の言うことは不愉快であっても意見の違いを認めなければならないということを最終的に学んだわけです。ところがこの人類の知恵として確立した「寛容」を、「体制的である」として批判したのがマルクーゼでした。これは、全体主義につながる思想だと私は思います。

朝香　みんな仲良くするためには「寛容」が大切だというが、この「寛容」は体制を脅かさない範囲でのものでしかない。今の社会体制は根本的におかしいから、抜本的に変えなければならないという運動は、過激だとして否定されてしまう。現体制においての「寛容」をそのまま受忍するというのは、弱者に対して抑圧的なこの社会体制をそのまま認めるということになる。すなわち「抑圧的寛容」なのであり、この偽善に気づかなければならないというわけです。

茂木　このマルクーゼの議論にフランクフルト学派の批判理論がみごとに展開されていることがわかるでしょう。資本主義社会は抑圧的社会であるとの前提に立ち、お互いが傷つけ合うことを何とか避けようとして発展させてきた「寛容」を否定し、この社会を不安定にさせる動きを作っていくようなことを言っているのです。保守的言論などはもともと不正義なのであるから、徹底的に不寛容であるべきだと主張する一方で、逆に今の社会体制を破壊しようとする勢力に対する「寛容」を求めるわけです。

朝香　今はやりの議論を考えてみてもらいたいのです。男女差をなくそうという「ジェンダー・フリー」、性的マイノリティーの権利拡大を目指すＬＧＢＴＱ、自国文化の優先を否定する多文化共生主義、文化的同一性を突き崩す移民容認論、女権拡大のフェミニズム運動、差別用語はよくないとして徹底的な言葉狩りを行うポリティカル・コレクトネスなどなど、これらがすべて現体制を支える伝統的価値観の否定・批判として登場しているわけです。そして「これらの考えは肯定的に扱うべきもの」というのが今の世の動きですよね。

茂木　こうした運動では「社会的弱者」とみなせる人たちをすべて「虐げられた人々」であるかのように扱っているのが特徴です。「男性優位の中で女性は差別されているのだ」「性的多数派によって性的マイノリティーは迫害されているのだ」「自国文化を当然優位だとみなすことで、他文化のことをまともに考えずに虐げているのだ」「自国民を優越して他国から来た人を差別しているのだ」という文脈になっています。

朝香　例えば日本は世界に稀に見る男性優位社会であるかのような言論が主流派メディアでは広がっていますね。だが、実際には日本では女性が感じる幸福度は男性が感じる幸福度よりもかなり高い。つまり男性に虐げられていると本気で思っている女性は、この日本にはあまりいないというのが実際です。ところが「批判理論」としてはそんなあり方は許されない。現状の社会は批判・否定されなければならないのであり、そこには様々な差別や虐待が存在してくれていなければならない。この中で必要以上に現体制を否定的に捉える言論が広がっているわけです。

茂木　犯罪者ですら虐げられた存在として描かれます。犯罪を犯した個人が悪いのではない、個人に犯罪を起こさせるような社会が悪いのだという議論が、当然のごとくに語られている。彼らの議論はもともと現体制を否定することを出発点にしているわけだから、現実にはどんどん豊かに便利になっていても、常に不満が植え付けられていくことになっているのです。

朝香　自由や民主主義はかけがえのないものであり、これは何としてでも守って子孫に伝えていかなければならないものであるのに、思考が「批判理論」に染められると、日本の国を愛するというのがとてつもなく汚らわしいことのように感じられてしまう。自由や民主主義が確保され、基本的人権が尊重され、法の支配が守られているというのは、実際には世界的に見ても奇跡のようなあり方です。だが、この国を愛し、この国を守ろうというのは、時代錯誤の軍国主義であり、危険な極右思想であり、実は一部の資本家などの支配層のみに奉仕する虚偽思想であるかのような倒錯が起こっている。私は命を賭してでもこの国のあり方を守らなければならないと考えているけれども、左派＝「リベラル」派からすればとんでもない反動思想家だということになってしまうわけです。

「アメリカを共産主義化させるための四十五の施策」

茂木　フランクフルト学派の浸透によりアメリカがどんどんおかしくなってきていることに気がついたシド・ハーロングというアメリカの下院議員がいました。彼はいわゆる「リベラル」派の人たちが多い民主党に所属していましたが、保守思想家クレーオン・スカウゼン（Cleon Skousen）が書いた『裸の共産主義者』（一九五八年）という本に着目しました。この「裸の共産主義者」の中には非合法化されているアメリカ共産党が掲げていた「アメリカを共産主義化させるための四十五の施策」が引用されていました。

朝香　スカウゼンは『ＦＢＩファイルからわかる本当の話』（True Stories from the Files of the FBI）といった著作もある元ＦＢＩ捜査官です。ハーロングはスカウゼンに信頼を置き、この内容を米国下院に提出、保管させ、米国の議会内でも知らず知らずのうちに共産主義者の路線に乗せられているのではないかと、注意を促したわけです。

https://cultureshield.com/PDF/45_Goals.pdf

茂木　例えばその三番目には「アメリカの完全非武装化こそがアメリカの倫理的強靭さを示すのだという幻想を信じさせる」というのがあります。

朝香　これって「アメリカ」を「日本」に置き換えたら、日本国憲法第九条そのままですよね。武力を放棄することこそ、逆に強さなんだというわけです。福島瑞穂さんとか山本太郎さんとかがよく話していそうな内容ですよね。

茂木　十一番目には「『国連だけが人類の将来の希望である』とする考え方を拡散する。国連こそがワンワールド政府であると認めさせ、国連軍を創設させる」というのがあります。

国連幻想を持たせて主権国家として国防にあたることをやめさせようというものですね。

十三番目には「国家への忠誠を誓うセレモニーを廃止する」というのがあります。国家意識、国民としての一体感を失わせようとするものだということがわかります。

朝香 アメリカではちょっとしたイベントでも胸に手を置いて国歌を唱和しながら、国旗掲揚するというのがよくありますよね。これをやめさせようというのです。日本の日の丸・君が代反対と同じ流れですね。

茂木 十五番目には「アメリカの政党の一方、または両方を乗っ取る」というのがあります。少なくとも民主党、できれば共和党もともに乗っ取ってしまえということです。

朝香 そしてこれが現実に展開されていると見るべきですね。現在のバイデン政権のおかしな動きを見れば、民主党はすでに乗っ取られているのではないかとの疑いを持つべきです。共和党の中にも「名ばかりの共和党員」がいるとして、彼らを追い出そうという動きがあります。この「名ばかりの共和党員」も共産主義的思考のシンパだと考えるとわかりやすいかと思います。

茂木 十七番目には「教育機関をコントロールする。学校を使って、社会主義・共産主義思想を教え込む。現行のカリキュラムを容易なものにする。教職員組合をコントロールする。党の思想を教科書に織り込む」というのがあります。

朝香　日本に日教組があるように、アメリカにも全米教育協会（ＮＥＡ）とかアメリカ教員連盟（ＡＦＴ）という教員組合がありますが、どちらもかなり左翼色が強く、ほとんどの教師がどちらかの組合に属しています。

　最近のアメリカでは、白人は有色人種に対する罪を生まれながらに持っているとする「批判的人種理論」（ＣＲＴ：Critical Race Theory）が、普通に教えられたりもしています。日本でも社会科の教科書の記述がかなり左に寄っているだけでなく、現代文においてフランクフルト学派の「批判理論」に基づく「近代批判」が最重要テーマになっているといった問題もあることはすでに指摘したとおりです。

茂木　十九番目には「共産主義を標的にする政策や組織に対して、学生に暴動を起こさせて大衆の抗議活動を煽る」というのがあります。

朝香　「黒人の命は大切」だとするＢＬＭと呼ばれる過激な運動が全米に広がりましたが、この運動に強い対処姿勢を見せたトランプ政権に対する激しい非難や暴動が引き起こされました。

茂木　二十番目には「報道機関に浸透し、書籍のレビュー、社説の内容、会社の方針を決定するポストを支配下に置く」。二十一番目は「ラジオ局、テレビ局あるいは映画産業での主要ポストを獲得する」。二十五番目は「伝統的な文化規範を破壊する。そのためにはポルノや猥褻とされる書籍、映画、ラジオ、テレビ番組を宣揚する」というのがあります。

「北朝鮮は狂っていたが、アメリカほどではなかった」

朝香　まさに文化・メディア分野を握っていこうとするグラムシ路線まっしぐらという感じですね。ワシントン・ポスト、ニューヨーク・タイムズといった主要新聞、NBC、CBS、ABCという全米三大ネットワークと呼ばれるテレビ局、これらはみんな左派路線になっています。保守派の番組もあるFOXが台頭してきたのがまだ救いではありますが、FOXのオーナーであるルパート・マードックは政治的に日和目で、今後が危ぶまれていますね。日本も朝日新聞、毎日新聞、東京新聞など主要紙は左派系ですし、テレビ局に至ってはNHKも含めて総じて左派系になっています。

茂木　二十六番目は「同性愛、性的倒錯、フリーセックスは、自然で正常で健康的な行為として称揚する」。三十番目は「合衆国建国の父たちは、利己的な貴族階級出身者であり、一般国民の利益など考えなかったエゴイストだと再定義する」。四十番目には「家族は個人の自由を阻害する規制制度だと位置づけ、フリーセックスを奨励し、離婚を容易にさせる」というのがあります。

朝香　これらもまさにグラムシの路線で、伝統的価値観を崩壊させていこうという流れです。トランプ政権の末期には建国の父たちの銅像が次から次へと倒される運動が展開されたのは記憶に新しいと思います。童貞や処女では「遅れてる」「恥ずかしい」という価値観は日本でも広がりましたが、アメリカでも同じような動きがあるのでしょうね。そして卑劣なことに、こうした退廃文化は資本主義の金儲け主義によって出現したものだとして、彼らは資本主義に責任をなすりつけることまでやるわけです。

茂木　三十八番目には「警察の逮捕権限のいくばくかを市民組織のような社会団体に移譲させる。犯罪者の問題行動は精神疾患によるもので、その矯正は専門の心理学者にしかできないと訴える」というのがあります。

朝香　アメリカでは警察予算が削減され、警察官の人員も減らされ、そのせいで犯罪が激増していますね。犯罪者の刑罰はどんどん軽くなっていて、バイデン大統領が新しく最高裁判事に適任だとして推薦したケタンジ・ブラウン・ジャクソン判事は、ある性犯罪者に対して、推奨される懲役刑は「判決ガイドライン」では九十七カ月～百二十一カ月なのに、わずか懲役三カ月の判決を言い渡した過去がある人です。ジャクソン判事は「『判決ガイドライン』は多くの点で時代遅れであり、重大な性犯罪者と軽微な性犯罪者を区別していない」と主張して、この判決を正当化しました。そしてその犯人は再犯を犯しました。ジャクソン判事は一三歳の児童を強姦した犯人にもわずか懲役五カ月の判決を言い渡し、この男も一年後に再犯しました。こんな判決を下していた判事が最高裁判事に適任だというのが、バイデン政権です。

茂木 「アメリカを共産主義化させるための四十五の施策」に書かれているのは、まさにグラムシなどが主張していた流れに沿うものであり、フランクフルト学派によって広げられたものでもあるのです。そして現実としてアメリカではまさにこの流れに従っていると考えないと理解できないような不思議なことが数多く進行しています。

朝香 このことを象徴するのが、十三歳の時に北朝鮮から脱北したものの、中国で奴隷として売られ、ゴビ砂漠を歩いてモンゴルまで逃れて、その後韓国に渡り、努力してアメリカの名門コロンビア大学に入学したパク・ヨンミさんの話です。彼女は「北朝鮮は本当に狂っていた。でもこのアメリカほどではなかった」と発言しました。彼女がこんな発言を行ったのは、「自由の国」であるはずのアメリカのトップレベル校のコロンビア大学で、「白人男性は植民地主義者の末裔であり、人種差別主義者で性差別主義者なのであり、アメリカの社会問題の原因は白人男性にあるのだ」という見解ばかりが教えられていて、これに対する異論を許さないことを知ったからだそうです。麗澤大学の准教授をしているジェイソン・モーガン氏が、「日本の歴史学会よりもアメリカの歴史学会の方が遥かに狂っている」と話していますね。

茂木　日本もたいがい狂っているとは思いますが、今のアメリカは本当に狂っていますよ。キリスト教徒ではない人たちを不当に傷つけることになるから、「メリー・クリスマス」はダメで、「ハッピー・ホリデー」と言うべきだという話がありますが、あれを主導したのはアメリカ自由人権協会（ＡＣＬＵ）という左翼系の法曹団体です。別に仏教団体とかイスラム教の団体からケチが付いたというわけではないんですよ。ちなみに「クリスマス・ツリー」は「ホリデー・ツリー」にしないといけないということになりました。ＡＣＬＵは保守派のトランプ政権に対して四〇〇件を超える訴訟を起こしたという筋金入りの左翼団体ですが、この影響力も半端ない。

アメリカを共産化させるための四十五の施策

①ソ連との共存しか核戦争を回避する道はないと、アメリカが受け入れる

②アメリカが核戦争をするくらいなら降伏を選ぶようにする

③アメリカの完全非武装化こそがアメリカの倫理的強靭さを示すのだという幻想を信じさせる

④相手国が共産主義国であるかどうか、物品が軍事利用可能であるかどうかにかかわらず、すべての国家間の自由貿易を許可する

⑤ロシアをはじめとするソ連構成国に対する長期貸付を延長する（ソ連は建前上は、ロシアだけでなく、ウクライナ、カザフ、アルメニアなど15の共和国の連合となっていた）

⑥共産主義国であるかどうかにかかわらず、すべての国家にアメリカからの援助を提供する

⑦共産中国の国家承認をし、国連に加盟させる

⑧国連の監督下における自由選挙によって、東西ドイツの分裂問題を解決するという、1955年にフルシチョフと交わした約束は無視し、西ドイツと東ドイツを別々の国家にしておく

⑨アメリカは交渉期間中は核実験を中断することに同意しているから、核実験禁止のため

の交渉を長引かせる

⑩ロシア以外のソ連構成国にも国連の代表権を与える

⑪「国連だけが人類の将来の希望である」とする考え方を拡散する。国連こそがワンワールド政府であると認めさせ、国連軍を創設させる

⑫共産党を非合法化しようとするあらゆる試みに抵抗する

⑬国家への忠誠を誓うセレモニーを廃止する

⑭ロシアが米国特許庁にアクセスできる状態を継続する

⑮アメリカの政党の一方、または両方を乗っ取る

⑯アメリカ人の基本的な慣習に従った行動が市民権を侵害していると主張して、これを弱体化させるのに、裁判所の判例を利用する

⑰教育機関をコントロールする。学校を使って、社会主義・共産主義思想を教え込む。現行のカリキュラムを容易なものにする。教職員組合をコントロールする党の思想を教科書に織り込む

⑱裁判所の法解釈を利用し、アメリカ人の基本的な慣習が市民の権利を侵害していると主張して、これを弱体化させる

⑲共産主義を標的にする政策や組織に対して、学生に暴動を起こさせて大衆の抗議活動を煽る

⑳報道機関に浸透し、書籍のレビュー、社説の内容、会社の方針を決定するポストを支配下に置く

㉑ラジオ局、テレビ局あるいは映画産業での主要ポストを獲得する

㉒あらゆる形態の芸術的表現の品位を落とすことで、アメリカ文化の評判を傷つけ続ける

㉓美術館の責任者や芸術評論家を支配下に置く。我々の計画は、醜く、不快感を与え、無意味な芸術を促進することだ

㉔わいせつ行為やわいせつ物を取り締まる法律のことを「検閲」と呼び、言論・出版の自由の侵害だとして撤廃させる

㉕伝統的な文化規範を破壊する。そのためにはポルノや猥褻とされる書籍、映画、ラジオ、テレビ番組を宣揚する

㉖同性愛、性的倒錯、フリーセックスは、自然で正常で健康的な行為として称揚する

㉗教会内部に浸透し、神の啓示に基づいた宗教を「社会的な」宗教に置き換える。聖書の信頼性を失わせ、「宗教的な支え」を必要としない知的成熟の必要性を強調する

㉘「政教分離の原則」を理由に、学校での祈りの儀式や宗教的な表現を排除する
㉙不十分で、古臭く、現代のニーズに合わず、全世界レベルで見た場合の国際的協調を妨げるものだとして、合衆国憲法をけなす
㉚合衆国建国の父たちは、利己的な貴族階級出身者であり、一般国民の利益など考えなかったエゴイストだと再定義する
㉛あらゆる種類のアメリカ文化をけなし、アメリカ史は「全世界史」からすればごく一部に過ぎないという理由で、教える意欲を引き下げる。共産党が政権を摑んだ以降のロシアの歴史をより強調する。
㉜教育現場、公共機関、社会福祉プログラム、精神科クリニックなど、精神文化のすみずみまで中央集権的な管理下に置くために、あらゆる社会主義的な活動を支援する
㉝共産党組織の運営を妨害するあらゆる法律や手続きを除去する
㉞米下院の「非米活動委員会」をなくす
㉟ＦＢＩに対する信用を引き下げ、最終的には解体する
㊱より多くの労働組合に浸透し、支配力を高める
㊲大企業に浸透し、支配力を高める

㊳警察の逮捕権限のいくばくかを市民組織のような社会団体に移譲させる。犯罪者の問題行動は精神疾患によるもので、その矯正は専門の心理学者にしかできないと訴える

㊴精神医学の専門家を支配し、共産主義の目標に反対する人々を強制的に管理する手段として、精神健康法制を利用する

㊵家族は個人の自由を阻害する規制制度だと位置づけ、フリーセックスを奨励し、離婚を容易にさせる

㊶親の悪影響から子供を遠ざけて育てる必要性を強調する。先入観、メンタルブロック、発達障害は、親に抑圧された影響のせいにする

㊷経済、政治、社会の問題を解決するためには、暴力や暴動に訴えることは、アメリカの伝統では正当な手段であるという印象、つまり、学生や特別な利害関係集団は決起し、「団結力」を行使すべきであるという印象を作り出す

㊸原住民が自治統治を行う準備が整う前に、すべての植民地政府を転覆させる

㊹パナマ運河を国際管理にする

㊺国際司法機関によるアメリカの国内問題への介入を阻止できないようにするため、「コナリー修正」を無効にする。国際司法機関の権限が、国家にも個人にも同様に及ぶよう

にする（アメリカが国際司法裁判所の強制管轄権を認める条項を受け入れる際に、争われる問題を国際法廷に持ち込むかどうかを決めるのは、国際司法機関ではなくアメリカ合衆国であるとする留保条件を付けた。この留保条件を当時の上院外交委員会の議長の名前から「コナリー修正」という）

BLM運動の理論的支柱はマルクス主義者

朝香　ヒスパニック系の人たちは男性を「ラティーノ」、女性を「ラティーナ」と呼んでいるわけですが、これは性差別だというケチが付きましたね。それで両方の性を扱える「ラティニックス」という単語を考案して、これからこれを使うべきだという話が出てきました。これに対して当のヒスパニック系の人たちが大反発しているんです。

茂木　そもそもスペイン語は男性名詞と女性名詞で活用も違うという言語ですから、性別をなくそうというのは言語的にも文化的にも最初から無理な話なわけです。なのに「そんな性差別的な言語は間違っているから直せ」というわけです（笑）。

朝香　アメリカのニュージャージー州の女子専用刑務所で、受刑囚が二人相次いで妊娠するという事件が起きました。この女子刑務所には、「生物学的女性」が八百人いる一方で、「トランスジェンダー女性」、つまり生物学的には男性の人間が二十七人も収容されていたからです。この「トランスジェンダー女性」と刑務所内で性交渉をした「生物学的女性」が妊娠したわけです。そしてこの「トランスジェンダー女性」を女子専用刑務所に入れろという法廷闘争を行ってきたのもこのＡＣＬＵなんです。

茂木　「トランスジェンダー女性」を女子専用刑務所に入れろという訴訟を行うのもたいがいですが、その訴えを認める裁判所もたいがいですよね。そのくらいこうした考えはアメリカの中に浸透しています。

朝香　幼稚園の段階ですでに「パープルペンギンゲーム」というものが行われます。「パープルペンギン」という、紫色した可愛らしいペンギンが出てくるんですが、このペンギンの性別はわからないんです。そしてこのゲームを通じて、「君は自分を男の子だと思っているけれども、本当は女の子かもしれないよ」といったことを伝えるんですよ。性別の自己認識に対する疑いをわざわざ子どもたちに持たせるようなことを、こんな幼い段階から始めたりしています。

茂木　麗澤大学の准教授であるジェイソン・モーガン氏によると、アメリカでは教授の補佐をするＴＡ（ティーチング・アシスタント）になる前に「多様性訓練」なるものを受けなければならないんですが、訓練用のテキストには「白人はすべて人種差別主義者だ」と書いてあるそうです。そのことが象徴するように、この「多様性訓練」を通して「虐げられてきた人々」だとされる黒人、ネイティブ・アメリカン、性的マイノリティなどの「権利」を傷つけないような、行き過ぎた姿勢を身に付けさせられたりする。この「訓練」によって異論が言えない言論空間が作られていくんですね。

朝香　アメリカの下院では、パパ、ダディといった「父親」を表す単語、ママ、マミーといった「母親」を表す単語の使用さえ既に禁止されています。ブラザー、シスターもダメで「シブリング」を使わないといけない。ハズバンド、ワイフもダメで、「スパウズ」を使わないといけない。繰り返しますが、これを禁じているのがアメリカの連邦議会の下院なんですよ。

茂木　この流れに多大な貢献をしたのが、マルクーゼの弟子である黒人女性のアンジェラ・デイビスです。彼女はフランクフルト大学に留学したこともあり、二十五歳の若さでカリフォルニア大学ロサンゼルス校の哲学科の助教授になっている。教えているのはマルクス主義理論です。同じカリフォルニア大学教授のセドリック・ロビンソンが唱える「ブラック・マルクス主義」（黒人解放とマルクス主義を結びつける考え）にも大きな影響を受けました。

朝香　彼女は黒人社会をアメリカ帝国主義によって搾取される第三世界だと位置づけ、この黒人社会の解放を訴えて精力的に活動してきました。この中で彼女は「交差性」（インターセクショナリティ）という議論を持ち込みました。様々な条件の交差ということに着目するわけですが、日本人的には「複合性」といった方がわかりやすいかと思います。「黒人・先住民などの少数民族に属し、性的嗜好もマイノリティに属して、経済的にも貧しい女性の経験する差別は、これらの複合的な要因で構成されており、単純には理解できない」というのです。ですから例えば、「こうした女性から見た場合に明らかに恵まれている中産階級の白人フェミニストが求める男女平等の議論では、こういう女性たちを救うことはできない。そうした白人フェミニストたちの議論では絶対に救われない社会的底辺としての苦しみがあるのだ」というわけです。こうした複合的な問題を同時に持った女性たちを中核的な立場においた上で、人種、性的嗜好、性別、経済的条件のそれぞれの分野で多数派に虐げられている少数派を糾合して、変革の主体にしようとする闘争理論を彼女は築いたわけです。ジェンダー間の平等は人種間の平等や経済的な平等と同時に達成されなければならないというのです。

茂木　ＢＬＭ運動の三人の創始者のうちの一人であるパトリース・カラーズの書いた『ブラック・ライヴズ・マター回想録』（青土社）の序文を、このアンジェラ・デイビスが書いています。全米を揺るがしているあのＢＬＭ運動の理論的支柱は、アンジェラ・デイビスというマルクス主義者なのです。ニューヨーク・タイムズが発行する「Ｔ　Ｍａｇａｚｉｎｅ」は「二〇二〇年の偉人」として五名を選びましたが、その中の一人がアンジェラ・デイビスです。「ＴＩＭＥ」誌が発表した二〇二〇年の「世界で最も影響力のある百人」にも、彼女は選出されました。当然ですが、ＢＬＭ運動などの世界を変える運動に対する彼女の高い貢献を評価しているわけです。彼女の影響力の大きさもわかるかと思いますが、ニューヨーク・タイムズとか「ＴＩＭＥ」誌といったいわゆる一流メディアが、どれだけ文化的マルクス主義に毒されているかもわかりますね。

ＢＬＭにＧＡＦＡＭと中国共産党が支援金を

朝香　かつてアメリカでは激しい人種差別がありました。こうした差別と戦うためにキング牧師たちが大いに頑張ったというのはよく知られています。ところがアンジェラ・デイビスはあの時代より今の方が遥かに広範囲な人種差別を受けているのだと主張します。このような「制度的人種差別」がアメリカ社会には構造的に埋め込まれているのだと主張しているわけです。今や市長や知事に黒人がなることも珍しくなくなっていて、黒人の大統領まで誕生しているのに、何を言っているのかと思っちゃうのですが、今やこういう議論がまじめに展開されているどころか、アメリカ社会を覆う空気になっているという恐ろしい現実があるのです。

茂木　この「制度的人種差別」論と表裏一体なのが「批判的人種理論」（ＣＲＴ）です。アメリカの法制度は白人優位を維持するために機能しているのだとする法学理論です。その代表例が警察による黒人に対する扱いに出ているというのです。そしてこのＣＲＴと強く結びついているのがアボリショニズム（廃絶主義）と呼ばれるものです。「廃止」を意味する「アボリション」に「イズム」（主義）が付け加わったものです。「刑務所も警察もなくしてしまえ」ということなのですが、そもそも刑務所や警察の今のあり方を規定する社会規範や考え方を根本的に変革する必要があるとしていることから、単なる「廃止主義」というより「廃絶主義」といった方が適切かなと思います。

朝香　そしてこのことが先に述べた警察予算の削減、警察官の減少、犯罪の増加、ケタンジ判事の最高裁判事の就任などにつながっています。笑えないのがミネアポリス市で、市議会で警官の最低人数の規定を削除して、市警察を事実上解体するという決議を採択するところまで行きました。

茂木　この件についてはその後住民投票が行われ、さすがに反対多数で警察解体は否決されましたが。

朝香　笑えないといえば、保釈金の扱いもありますね。これまでの保釈金制度は保釈金を支払う能力のある金持ちを優遇する一方、支払いの能力のない弱い立場の人たちを不必要に長期間拘束し、法の下の平等に反するとの批判が出され、保釈金制度が随分と緩められてきています。

茂木　二〇二一年の十一月にウィスコンシン州でクリスマスパレードに車が突っ込み、六人が死亡、六十二人が怪我をするという事件がありました。六十二人のうち二十八人が入院し、七人は重体でした。逮捕された三十九歳の黒人男性の犯人は、過去二十年間にわたって様々な犯罪を犯してきた凶悪犯でした。十五歳の少女に性的暴行を働いて逮捕されたこともありました。二〇二一年の事件の二十日ほど前にも、以前交際していた女性をひき殺そうとして捕まっています。この事件でわずか千ドル（十三万円）の保釈金で保釈された二日後に、今回の事件を起こしました。この一件からしても、アメリカでは重罪を繰り返すような人間でも、わずかな金額で保釈されるようになっているということがわかりますね。

朝香　私たちが「白人至上主義者」という言葉を聞いて普通に思い浮かべるのは、「黒人よりも白人の方が偉いに決まっているだろ」という時代錯誤の人種差別主義者でしょうが、さすがに今の時代にそんなことを公然という人はいないと思います。それなのにこの「白人至上主義者」という言葉は最近アメリカの報道ではよく聞くようになりました。これはなぜかと言えば、今のアメリカの法制度が特に黒人に過酷なものなどではないとして、「批判的人種理論」に反対する人であっても、「白人至上主義者」と呼ばれるという事情を頭に置いておかないといけないのです。この理論に基づくと、白人は生まれながらにして人種差別主義者であり、「そんなのおかしいだろ」と疑問を呈すると「白人至上主義者」だと決めつけられてしまうのです。

茂木　マスメディアがきちんと報道しないので、ＢＬＭ運動とは黒人に対する不当な差別をなくし、黒人の命を大切にしようという運動なんだと勘違いしている人が多いわけですが、実はもろに文化的マルクス主義の理論に基づいた革命を志向する運動であるというのが正しい認識です。アリシア・ガーザ、パトリース・カラーズ、オパル・トメティというＢＬＭ運動の創始者の三人は、自らがマルクス主義者であることを、実は隠すことすらしていないのです。

朝香　ところがこのＢＬＭは今やアメリカ一の圧力団体となり、グーグル、フェイスブック、アップルといった大企業が支援金をどんどん出していることでも知られています。

茂木　個人の才覚と先見の明によって巨大ＩＴビジネス（ＧＡＦＡＭ）を立ち上げた起業家たちは、本質的に国家権力を忌避し、国家を超えたグローバルな企業展開を求めます。この点、マルクス主義との親和性が高い。また「あの会社は人種差別主義だ」とするバッシングが起こると、不買運動を仕掛けられたり、トップの交代を要求されたりするから、「みかじめ料」として支援金を支払うという現実的判断もあると思います。

朝香　さらに言えば、アンジェラ・デイビスに代表されるような左翼的な見解は、今やアメリカの教育界・学術界・文化界にしっかりとした根を張っているので、アメリカの文化に触れ、アメリカの大学教育を受けた学生たちは、こうした左翼思想にかぶれた状態で社会に巣立っていくのが普通になっています。こんなことがもう何十年も続いてきました。

従って彼らの中にはもともとＣＲＴ（批判的人種理論）とかＢＬＭ運動に対して共感している人も多いのです。

茂木　アンジェラ・デイビスが警察に逮捕された時に、彼女を支援するためにジョン・レノンとオノ・ヨーコが「Angela」という曲を、ザ・ローリング・ストーンズが「Sweet Black Angel」という曲を作ったということもありましたね。こうしたことからもわかるように、芸能界は左派勢力が強く、芸能界のトップスターたちが発する情報に若者たちが感化され、次々に巣立っていったという流れもあるわけです。このあたりはまさにグラムシ路線がうまく機能していることがわかるでしょう。

朝香　そしてこのＢＬＭ運動と中国との関係というのも着目しておかないといけません。ＢＬＭ運動が国民に分断を作って大衆動員をしていくそのやり方には、毛沢東の革命路線に似たものがあります。アメリカの大学には、中国の伝統や社会のあり方を根底から覆すことに成功した毛沢東を高く評価する考えが、今なお広く存在します。

茂木　ＢＬＭ設立者の一人であるアリシア・ガーザが創立した「黒人未来研究所」（Black Futures Lab）は、中国共産党の統一戦線工作部と深い関係にある「華人進歩会」（Chinese Progressive Association）に財政支援されていることを正直に認めています。「華人進歩会」

は中国系アメリカ人の団体ですが、他の抑圧されたグループと連携して、すべての民族に対する正義を要求していくことを謳っているところからもわかるように、かなり左翼色の強い団体です。

朝香　「華人進歩会」と中国共産党とのつながりの深さは、二〇二〇年のアメリカ大統領選挙の時にも示されましたね。トランプ陣営がバイデンと中国との親密な関係を暴露して、「バイデンは中国ときちんと対決できないんだ」という宣伝をしたことがありました。これに対して、バイデン側は「トランプと違って我々の方こそ中国としっかり対峙できるのだ」という宣伝で対抗しました。この時「華人進歩会」はバイデンに「中国政府を敵視するようなことを言うな」と、釘を刺す動きに出ているのです。

出自が中国の中国系アメリカ人だとしても、中国政府の政策に賛同するかどうかはそもそも別の話ですよね。日系人が今の日本政府を支持するかどうかなんてわからないし、少なくとも団体として一致した見解を持ってわざわざ表明することは考えにくいでしょう。なのに、アメリカの価値観からすればとてもじゃないが容認できない強権的な社会体制を強化し、軍事的膨張や技術窃盗を含めて西側世界の脅威になっている中国政府に対して、対決姿勢を示すのは許さないというのは、中国共産党のこの団体に対する影響力がどれほど強いのかが窺えますね。

茂木　そもそも「華人進歩会」の「進歩」を表す「Progressive」という単語は、左翼的な意味合いで考えれば、資本主義から社会主義に向かって進んでいくということですしね。

「自由と民主主義のアメリカ」は幻想に

朝香　中国共産党はアメリカでキング牧師らによる公民権運動が展開されていた頃には、すでにアメリカの中に影響力拡大の拠点を作っていました。貧困な黒人層を相手に無料で食事や医療を提供するような組織を作り、黒人たちの中に毛沢東思想の影響力を広げていきました。こうした運動の中でアリシア・ガーザとパトリース・カラーズは毛沢東思想を学んだことがわかっています。

茂木　そして彼女たちによってＢＬＭが作られ、アメリカを揺るがす大きな組織に成長し、この組織がアメリカ民主党に大きな影響力を持つようになっているというのは、かなりげんなりする現実です。

朝香　特に大きな影響力を持っているのは民主党が強い州で、こういうところだと、通常の窃盗は「微罪」だとして、仮に捕まっても即日釈放されるなんてことが起こっています。州によっても被害金額の上限に違いがありますが、日本円で十万円程度のところが多いと考えてください。ですから普通のスーパーやドラッグストアでごっそり窃盗を働いて捕まっても、勾留されるようなことにはならないのです。

茂木　ではどんな犯罪でも全部が軽くなるかというと、そうでもない。アメリカのある大学の寮で、バスケットボール部所属の男子学生が、別の学生の部屋の窓枠に「私は黒人を憎む。ＫＫＫ」と落書きをした。これが発覚して男子学生は逮捕され、その時に設定された保釈金額は五万ドル（六百五十万円）で、両親もとてもではないけれども払えなかった。そのため彼は四七日間の勾留処置となりました（山中泉『アメリカの崩壊』）。ＢＬＭに反する主張だと、微罪でも重罪扱いになる。これが「法の下の平等」を重視しているはずのアメリカで今起こっているのです。

朝香　犯罪者を起訴する側の検事も、民主党系だとおかしなことになっています。保釈金を引き下げたり、起訴しにくくするような動きに、民主党の検事たちは絡んでいますね。「犯罪者に厳しくするのをやめて、そのために使われる資金を教育や福祉に回した方が効率的だ」というのが彼らの主張です。「北風よりも太陽」ってイメージですが、それでどうなったかといえば犯罪は激増しているのが実際です。

茂木　犯罪の増加で拳銃を購入する人が増え、射撃の練習場は人が殺到してなかなか練習できないとか、拳銃はあっても銃弾が品薄で手に入らないという状況にもなっています。

朝香　トランプ政権の二期目を阻止してバイデン政権を誕生させるのに、ＢＬＭは大きな役割を果たしたと自負し、バイデン新大統領とカマラ・ハリス新副大統領に宛てた公開書簡を発表しました。この中でＢＬＭの貢献に対する見返りを要求し、トランプ政権からバイデン政権への政権移行チームに参加して、その政策決定に積極的に参加したいと伝えています。

茂木　バイデン当選の一週間後に、ＢＬＭ系の「黒人未来研究所」に対して、例の中共統一戦線工作部と繋がっている「華人進歩会」が「特別プロジェクト」名目で、日本円で一億円ほどの寄付を行っているのも気になります。バイデン当選に貢献したお祝い金が「華人進歩会」から寄せられたようにも見えるからです。

朝香　「黒人未来研究所」が「華人進歩会」を構成する中国人に対してなにか巨大な貢献をしたということがないと、これだけ巨額の寄付がなされるということは考えられないですからね。「華人進歩会」はトランプ再選に反対である立場を明確にしていましたから、この

「特別プロジェクト」が「トランプ再選阻止」であるとすると、納得しやすい話になります。

茂木　こうしたことから考えると、今のアメリカ社会やバイデン政権がどういう性格であるのかがだんだんわかってくるんじゃないでしょうか。私たちが普通に頭に思い浮かべる「自由と民主主義の国、アメリカ」というのは実は幻想で、法治主義がどんどん形骸化し、法の下の平等が守られなくなり、「差別だ！」と言われるのを恐れて自由にものが言えなくなっています。そしてバイデン政権はその路線を実はどんどん強化しています。

バイデン政権が加速する自滅的な動き

朝香　バイデン政権の動きって、実に不思議なことが多いですよね。例えば、ロシアがウクライナ国境に兵力をどんどん集めていた時に、アメリカはロシアがウクライナに軍事侵攻しようとしていると一応は非難していました。ですが、ロシアの侵攻を止めるための具体的な動きは全く見せませんでした。

茂木　「ロシアがウクライナに軍事侵攻しても、米軍もＮＡＴＯ軍もウクライナに派遣することは絶対しない」と何度も繰り返していました。ロシアがウクライナに攻め込んできたら、短期でロシアがウクライナを制圧することも予測していました。建前上は「反対」と言わなければならないから「反対」だと一応は言うけれども、本音としては「ロシアさん、どうぞウクライナをご自由にしてください」と言わんばかりでした。

朝香 もちろんロシアがウクライナを侵略すれば、西側諸国はロシアに対する経済制裁をせざるをえない。その点は覚悟してもらわないといけないけれど、資源も食料も自給できるロシアは簡単に潰れることはないのも理解しているよと。

茂木 そもそも西側の制裁が続くことは、ロシア国民の反西側感情をうまく焚き付けて、プーチンさんがロシア支配を維持するのに却って好都合になるよね。そういう状態を作ってあげるわけだからね。バイデンが送っていたメッセージを、プーチンがそのような意味として理解していたとも取れそうです。

朝香 ロシアがウクライナを制圧すると、東欧の緊張が当然高まる。日本、台湾などの防衛に割かれている極東の米軍の一部を東欧に動かさざるをえない。そうすると極東の米軍戦力が削減されることになる。これは台湾を狙っている中国を大いに利することになる。

しかもバイデンは第三次世界大戦になるといけないから、ウクライナに米軍もＮＡＴＯ軍も絶対に送らないと何度も強調した。これって、中国が台湾侵略を実行しても、やはり米軍を出動させない言い訳にもなりますよね。というか、今回のバイデンの動きはそういうメッセージだと中国側は当然理解しているでしょう。つまり、バイデン政権は表面的には中国と対立しているように見せながら、本質的には中国の世界戦略にとって利益となるような動きをしているのではないかとも感じられるのです。

茂木　ロシアに対する西側の制裁が強化されると、ロシアは中国との関係を強化していかざるをえない。ロシアが好むと好まざるとにかかわらず、中国依存は高まっていくことになるし、ロシアは中国に逆らいにくくなる。その点も中国にとっておいしい。しかも、ロシアが国際非難の的になり、中国が米国に寄り添うようなそぶりを示せば、トランプ前政権が仕掛けた対中制裁を緩和させることができる。こういう点でも中国を利するところはありそうです。

朝香　バイデンの不思議な動きの中でもう一つ取り上げたいのが、南部国境の話です。トランプ時代は不法移民を排除する中で、合法移民や黒人などのマイノリティの経済的条件は非常によくなりました。彼らの失業率は記録的に下がり、賃金はアップした。このトランプの政策をやめて、国境を大いに緩めたために、二〇二一年の一年で二百万人という膨大な数の不法移民がアメリカに流入しました。

茂木　移民たちの入国を取り仕切っている「コヨーテ」とか「MS-13」といったマフィア組織があり、移民たちは彼らにお金を払わないとなかなか入国できないのが実際です。国別に料金があって、メキシコ人だと一人あたり三十万円、中国人だと一人あたり百万円といったような相場になっています。マフィア業者は莫大な利益を上げ、この利益を使ってメキシコの政界を買収し、彼らの独占的な地位を守っているわけです。移民たちがその場で払える現金を持っていないなら、アングラ組織が指定する場所で働いて返せばいいということになるわけですが、これは事実上人身売買で、奴隷労働ですよね。こうしてドラッグの密売人とか売春婦が次々と供給されていくことになります。

朝香　さらにバイデン政権はこうした不法移民の追跡と把握に必要という名目で、彼らにスマホを無料で与え、利用料金も無料にするということまで始めました。さらに性犯罪者の不法入国者を排除する「オペレーション・タロン（Operation Talon）」を停止させました。犯罪者がどんどんとアメリカに送り込まれているわけです。

茂木　オバマ時代には、親の不法入国は認めなくても、子供の亡命は人道的に認めるとする政策を実行していたところ、すでに入国済みの親戚などに子供だけを預けるということが行われました。子供が成人を迎えると親にも市民権が与えられる制度になっているので、アメリカの市民権を獲得するための「裏ワザ」としてじゃんじゃん利用されました。だがそれはおかしいだろうということで、トランプ時代には、子供は見つけ次第例外なくメキシコ側に戻すという政策を実行して、不法移民の抑制に動きました。ところがバイデンはこのトランプの政策を取りやめてオバマ時代に戻っただけでなく、「子供がいるなら親も一緒に入れてあげればいいじゃないか」という政策へと、さらに規制を緩めたわけです。

朝香　それどころか、トランプ時代に子供は例外なくメキシコ側に戻すという「非人道的な政策」によって、親子が離れ離れにされたことでトラウマが生じているから、この精神的苦痛に対して一家族あたり三百四十万ドル（四億四千万円）を支払うべきだと、バイデン政権に近い左翼系の法律団体のＡＣＬＵ（アメリカ自由人権協会）は言い出した。バイデン政権も少なくとも一家族あたり百万ドル（一億三千万円）、一人あたり四十五万ドル（五千八百万円）支払う用意があると言い出しました。これに対しては元ネイビーシールズ将校のダン・クレンショー下院議員は、米軍の軍事作戦中に不幸にも命を落とす隊員がいた場合でも、保険から支払われる額は十万ドル（千三百万円）にすぎないということを持ち出して、不法移民にこれだけの金額を支払うことのバカバカしさを主張しましたが、当たり前ですよね。

茂木　しかもバイデン政権は不法移民の抑制に効果を発揮していた「タイトル42」を二〇二三年の五月二十三日で撤廃することにしている。「タイトル42」というのは、トランプ政権下で発動された米公衆衛生法第四十二条のことです。伝染病を持つ可能性のある場合には、難民申請を受け付けることなく外国からの入国を拒否できるというものです。コロナがはやっているから、自由に入ってもらっては困るよね、危なかったら国境で追い返そうねという話です。

朝香　ですが、コロナが収束してきたのでもういらないでしょうとCDC（米疾病管理予防センター）が言い出して、バイデン政権もそれに乗っかったという形です。これを認めるとアメリカへの入国は従来の二倍以上に増えるんじゃないかと予想されています。

茂木　不法移民自体が犯罪であるのに、バイデン政権にはその感覚がまったくない。国境管理が大混乱に陥り、不法移民の間で親子がバラバラになる事案はトランプ政権期とは比較にならないくらいに増えている。バイデン政権はこれらに対する損害賠償も自ら言い出しかねない。人身売買のアングラ組織を肥え太らせ、彼らが行うドラッグの密売や売春などのアングラビジネスがアメリカにどんどん拡散するように動いている。不法移民の保護を理由とした訴訟ビジネスをＡＣＬＵといった左派系の弁護士事務所に行わせて彼らの資金稼ぎに使う。政府財政を食い物にして、自分たち左派の勢力を強めるための利権として大いに活用している。

朝香　こうした不法移民をどんどん入れるのは、不法移民をすぐに合法移民に切り替えて、民主党支持票にするためだと言われていますが、私はその見方は単純すぎると思っています。確かにニューヨーク市は永住権や労働ビザを持つ外国人に参政権を認めることを始めました。こうした例に示されるように、やがて不法入国者に労働ビザを与えて、参政権を取得させようという流れがあるのは間違いないです。ですが、そこにとどまるものだとは私には思えないのです。アングラ系の人がどんどん流入し、アングラビジネスがどんどん広がって、アメリカの治安悪化は本当に酷くなっている。メキシコとの国境においてはドローンによってドラッグなどが持ち込まれるようにもなっているが、その警備ができないほど国境はグチャグチャになっている。バイデン政権を担っている彼らはそのことを我々よりも当然よくわかった上でこの政策を実行している。では何を狙っているのか。端的に言えば、革命ではないかと思うのです。メキシコのアングラの人身売買組織とＢＬＭは関係しているのではないか。人身売買されて入国し、アングラ組織の指揮下に置かれている人間たちは、潜在的な革命戦士として使われるのではないか。隠れ戦闘員もどんどん入国していくのではないか。今のこの路線を進めている民主党政権が窮地に陥る事態になったら、革命を起こせる準備を始めているのではないか。一見すると突拍子もない暴論に見えるでしょうが、こうした一連の考察を踏まえると、私はそれを狙っているんじゃないかと推論してしまうわけです。

茂木　もしアメリカで革命騒ぎが起こった場合に、それは果たしてアメリカだけで済む話なのでしょうか。世界同時的にいろんな動きがあり、例えば極東においても、中国が台湾有事を起こし、ロシアが北海道に進軍し、日本国内でも流入してきた外国人らが武装蜂起するようなことはありえないでしょうか。

朝香　あくまでも可能性の話であって、必ずそうなるということではないですが、こういう話を単なる与太話だと思わないことも重要ではないかと、私は思っています。

第七章

エコロジーの背骨は
マルクス主義

産業革命前の社会は牧歌的？

茂木　「リベラル」派が展開するもう一つ見過ごせない流れとして、環境保護運動がありますね。この点についても共産主義的な考え方とのつながりの深さを、私たちはよく理解しておくべきではないかと思います。極めて単純な見方ではありますが、資本主義下では企業は利潤を最大化しようとして、汚染物質を垂れ流そうとするのだという見方から資本主義批判を行うことは、昔から行われてきました。

朝香　そもそもマルクスが資本論に「資本主義的農業のどんな進歩も、労働者から略奪するための技術的進歩であるだけでなく、土地から略奪するための技術における進歩である」という記述を残しており、こうした記述に『人新世の資本論』（集英社）を書いた斎藤幸平・東京大学大学院准教授などが着目しています。

茂木　マルクスのエコロジカルな着想の源泉となったのが、同時代の科学者ユストゥス・フォン・リービッヒです。リービッヒは『農業と生理学への応用における化学』において、近代農業ができるだけ多くの収穫を得るために、短期間で徹底的に土壌の養分を奪い去っているとする「略奪農業論」を展開しました。人間が自然に対して行き過ぎたことをやって取り返しがつかない事態を発生させてしまう、これを止めなければならないというわけです。

朝香　リービッヒは競争主義的な資本主義的農業が花開くと、これに対する警戒心を持つようになりました。この観点から日本で当時（江戸時代）行われていた循環的な農業を絶賛しました。すなわち、農作物を食べることで生じる人糞や尿を堆肥として利用し、再び農業生産に活かすというものです。「グアノ」と呼ばれる海鳥などの糞が長年堆積して石化したものを、外部から持ち込んで肥料として利用する農業がイギリスでは広がったのですが、これを厳しく批判しました。そんな自然の道理から外れたことには永続性はなく、大きなしっぺ返しが来ると思っていたのでしょう。彼は収穫が伸びると人口増加を招き、より多くの食料を必要とし、自然が生み出せる供給量を超えてしまうということまで心配していました。人口増加に伴って家畜も増加することになるが、そうなると糞とゴミを増やして生活環境が悪化することに警戒心を持っていたわけです。

茂木　人間が自由に経済活動を行うと、自然の限界を超えてしまう。そうならないように社会的に制御しなければならないというのが、彼の本質的な問題意識だと思います。まさにエコロジーの走りですね。未知なるものに対して恐怖を感じ、こんなことまでやってしまっていいのかと考える人間の本能的判断が介在しているとも言えるでしょう。

朝香　こうした議論はリービッヒの時代から考えても、現代に至るまで百五十年以上にわたって繰り返し行われてきたのに、未だに人類は農業生産力を高め続けています。例えば、世界の小麦生産量は一九六〇年には二億トン余りだったのが、二〇二一年には八億トン弱にまで伸びています。この六十年ほどの間に生産量は三倍以上、四倍近くにまで増加しているわけです。古いイギリスの統計を見ても、小麦の一エーカーあたりの収穫量は、一五五〇年に九・〇ブッシェルだったのが、百五十年後の一七〇〇年には二〇・六ブッシェルにまで、二・三倍ほど高まっていることがわかります。永続性のない略奪農業によって取り返しのつかない事態を招く、自然に反することをやると自然から必ずしっぺ返しを受けるのだとか、一部の人たちがずっと言ってきましたが、人類は信じられないくらいに農業の生産性の向上を実現してきました。そんなことが何百年にもわたって続いてきているんですね。こうなると、そうした心配や警告が結局は取り越し苦労にすぎなかったということになると思うのですが。

茂木　「人口は倍々ゲームで増加するが、食料などの生活資源は直線的にしか増加しないので、生活資源は必ず不足することになる」というのが、マルサスの『人口論』の結論でしたが、この結論が今日までに成立しなかったのは歴史的に明らかです。ところがマルサスと同じ問題意識を持った「ローマクラブ」というシンクタンクがあり、現在でも大きな影響力を持っています。「ローマクラブ」が一九七二年に発表した「成長の限界」は有名で、今のＳＤＧｓの走りですね。

朝香　この「成長の限界」は、資源・環境問題は倍々ゲーム的に問題が深刻化するが、その解決策は直線的にしか考えられていかないから、経済成長を抑制しないと人類は破滅するのだという議論を展開しています。マルサスの『人口論』もこの「成長の限界」の理論も、その本質にはリービッヒと同じ本能的な恐怖があるのでしょう。

茂木　来るかどうかわからないというか、経験則的には恐らく来ることはないだろうという話を「絶対に来るんだ！」と決めつけ、「その対策を今すぐにやらないと手遅れになる！」という恐怖で人々を絡め取っていく。「資本主義は崩壊する！」というマルクス主義とよく似た終末論の匂いがします。

朝香　資本主義には面白い修正力があります。市場というものは人間の意識を反映した歪みを絶えず作ります。弱者に優しくあるべきだということで、じゃんじゃん経済的弱者に対する給付を増やすような政策を実行すれば、働かなくても給付がもらえることへの甘えが広がることによって、生産力が伸びないのに需要力が高まるなんてことが起きます。そうすると、インフレ傾向が世の中に現れて、今度はインフレに対して人々の不満が集まるようになります。こうなるとインフレを抑制するために金融を引き締めたり、需要力を引き下げるために給付水準を引き下げたりすることが、新たな動きとして用意されます。社会には必ず問題が登場するわけですが、それを解決する自発的な動きが新たなトレンドとして用意され、そのトレンドが主流派になると新たな別の歪みが自然とできていきます。そしてその歪みを解決することがビジネスになるというまた別の流れが生み出され、それがまた新たな歪みを作っていきます。こうして解決しなければならないその時々の重大な課題に対して、自然と解決する道筋を資本主義は見つけて修正していく力を持っています。

茂木　こうした資本主義の持つ修正力に対して信頼が持てるかどうかというのは、私たちが自由に生きていいのかどうかを分ける分水嶺になりますね。制約を課すことなく人間が自由に行動すると、生活環境も自然もメチャクチャにしてしまうから、人間の行動には社会的な統制を加えなければうまくいくわけがないというのが一つの考え。こちらの考えだと自由な人間に対する基本的な信頼感がないということになる。共産主義者や「リベラル」派の直感を支配している考えがこれです。

もう一つの考えは、人間に課す制約は必要最小限度にとどめて、原則的には自由にやらせたらいいのだという考え。時々で生まれる課題が本当に深刻なものなら、その時に人間たちは自由であっても解決策を見出していくと信頼感を抱いている。こちらが私たち保守の考え。このあたりの根本的な価値観が問われている。

朝香　そして今日「地球温暖化」などを理由として、自由な経済活動を統制しなければならないということが「正義」として語られているのは、まさに前者の考えになります。こうした運動を支持する人たちは、自分たちの考えが取り越し苦労なのであり、それが人間の自由を抑制させる議論になっていることに気づいてもらいたいものです。

茂木　私が共産主義者や「リベラル」派の議論で気になっているのは、産業革命以前の社会を牧歌的に肯定しているところです。「資本主義以前、産業革命以前の社会は、人間と自然が調和していた素晴らしい時代だった」という思い込みがあるのでしょう。

『人新世〜』は「きれいな小川の水」の危なさがわかっていない

朝香　『人新世の「資本論」』を書いた斎藤幸平氏は、都会であくせく働く人と、南の島の漁師の間の、以下の小話を使っていますね。

南の島の漁師　「そんなに必死に働いて、貯めたお金で何をするの？」

都会であくせく働く人　「引退したら昼寝しながら、のんびり魚釣りでもして暮らしたいからね」

南の島の漁師　「ぼくはもうそれをしているよ」

深く考えずに南の島の漁師を羨ましく思ってしまうのは仕方ないと思いますが、よく考えるとこれはちょっとおかしいことに気がつくはずです。南の島の漁師が、気の向いた時に釣り糸を垂れて魚を獲ることをしている趣味人のような存在であれば、「漁師」と言いながらそれは生業(なりわい)にはなっていないことになりますね。だとすれば、南の島の漁師の家にはエアコン、洗濯機、冷蔵庫などの文明の利器はないことになります。夏は暑く、冬は寒く、食べ物の保存も効きません。スーパーでバラエティに富んだ食べ物を買って楽しむこともできません。冬場には食べ物にありつけないかもしれません。好きな音楽もお笑いもドラマも楽しめないし、好きな場所に旅行に行くこともできません。病気になっても病院に行くこともできません。

茂木　斉藤氏は森や水は誰もがアクセスできるという意味で「潤沢」な「富」であったとして、所有権が確立されておらず、誰もが利用できる「富」を「コモン」だと美化していますね。森の中にある薪とか落ち葉とか小川を「コモン」であり、貴重だと理解するのは構わないですが、私はそんなものよりも安価なお金を払えば手に入れられる電気、ガス、消毒された水道の水などの方がよほどありがたいです。そもそも森の中に必要なものを取りに行く生活なんて耐えられない。わざわざ水を汲んできて、薪をくべてフーフー吹きながら炊事を行うんですか。炊事はまだいいかもしれないが、風呂はどうするんですか。わずかな経済的対価を支払うだけで、蛇口をひねれば水が手に入り、スイッチを入れれば電気がつき、ガスで煮炊きができ、空いた時間を余暇に使える文明的な生活の方が、はるかに暮らしやすいんじゃないですか。

朝香　ところが人間は「自然」だとか「コモン」だとかといった一見美しい概念に毒されると、そうした概念とか構図とかから理解しようとし、そこで主張される本当の現実が見えなくなっていく。資本主義を汚らわしくて乗り越えるべきものだという思い込みから入ると、なおさらそういうものを美化しがちです。「きれいな小川の水の方が塩素消毒されている水道水よりも美味しいだろう、それを完全に無料で使えるのは〝豊かさ〟ではないか」と言われたら、その通りかもと思ってしまう。その結果、その「豊かさ」を味わうための現実の手間の大変さがわからなくなる。そもそもむき出しの自然というのは実際にはけっこう危険なものだという感覚すら失って、自然を観念上で考えて絶対的に美化してしまう。

茂木　縄文時代の平均寿命が十五歳程度、鎌倉時代でも二十四歳くらいですよね。幼児死亡率がものすごく高かったからでもありますが、その頃の暮らしの方が現代よりも自然に近くて「潤沢」な「富」に囲まれた素晴らしいものだったという倒錯した考えに疑問を持たないのは悲しいですね。

朝香　そんな「潤沢」な「自然」と共存できる人類はそもそも何人いるのでしょうか。一億人もいないでしょう。現存する約九九％の人類はこの世界には不要だということになる。そんな社会を「理想」として目指していくのが、我々人類に求められる歩みなんでしょうかね。

茂木　自然は確かに大切です。しかしそれは手付かずであればあるほどいいという意味ではない。私たちの快適な文明生活を維持するためには、自然を無視できないという意味でのみ捉えるべきものである。つまり人間中心主義であるべきだと思うのです。

朝香　「自然との共生」を金科玉条にしてしまうと、現実的に物事を捉えられなくなるんじゃないですか。はっきり言って現代の人間の生活は不自然極まりないものです。夏涼しく、冬暖かい。真冬でも蛇口をひねればお湯が出てくる。野生の動物たちを押しのけて、我々人間にとって快適な社会が生み出されている。そこに左派＝「リベラル」派の人たちは罪深さを感じてしまうところがあるのでしょうが、そういう罪深さは私たちが背負うべき業のようなものではないでしょうか。

茂木　個人がそうした罪深さを心静かに持つのは構わないが、社会全体としても同じような感覚を持ち、そのような方向で行動すべきだとすると、不当に人間の自由を奪うことになりますよね。

朝香　こういう議論をすると、「斎藤幸平氏の議論を理解していない」「斎藤氏は原始時代に帰れと言っているのではなく、生産手段をコモンとして民主的に管理すると言っているのだ」という反論も出てくるかと思います。では例えば現在私有地として分けられている土地を、どうやって「コモン」として共同管理に持っていくのですか。私有地を持っている人たちはそれをすべて放棄することが求められますが、そんなことが「話し合い」で行えるんでしょうか。あるいは、複雑な発送電の仕組みを持つ電力をどうすれば「コモン」

として共同管理できるのですか。「私たちは風力で発電するけれど、風が吹かない時は電気を融通してほしいが、二酸化炭素を出す発電はダメだ」と言われた時に、その量だけ原子力発電で賄うなんてことはできないわけです。原子力発電は発電し始めたら、常に一定量をずっと発電し続けるという仕組みなので、欲しい時だけもらいたいという使い方はできません。各人のわがままや地域エゴを受け入れることができないわけです。つまり、一部の地域だけの「話し合い」で決することはできないようになっている。

茂木　「話し合いで決める」というと、それだけで喜んじゃうところがあるわけですが、土地のこと、電力のこと、ガスのこと、上下水道のこと、ＹｏｕＴｕｂｅのこと、ツイッターのこと、ゴミ処理のこと、公園の管理のこと、路上清掃のこと・・・と、ありとあらゆる問題を、全部みんなの話し合いで決めるなんてことが現実的だと思いますか。これらは専門性を有することが多々あるのに、簡単に話し合いができて、それによって対立することなく簡単に決まると考えることは、あまりにも非現実的ではないでしょうか。

朝香　斎藤氏は資本主義的価値観と決別して、「動物的欲求に縛られている」「悪い自由」を手放す必要があるという。斎藤氏は「総量としては、これまでよりも少なくしか生産されなくても、全体としては幸福で、公正で、持続可能な社会に向けての「自己抑制」を自発的に行うこと」が「より自由になるということなのだ」と言っています。そうすると、例えば、ロシアのウクライナ侵略に憤りを覚えて、ウクライナを支持する立場からウクライナ国旗のネクタイをしたいというのは、大半の人がその必要性を認めるものではないから、「自己抑制」を必要とする「悪い自由」だということになりますよね。だが、そんなことは「余計なお世話」ではないですか。

茂木　何にこだわりを見せるかなんて、人それぞれで違いがあることで、こだわりを持ってもいい範囲を「民主的に話し合って決める」ということの恐ろしさに気付いてもらいたいものです。その枠から外れたこだわりを持つことを人間の自然な状態だとはみなさず、そこに「自己抑制」を求めることが正しくて、それこそが「真の自由」につながるというそのロジックは、ジョージ・オーウェルの『一九八四』の世界です。

朝香　「自分の存在を認められたい」というのは、人間には常に付きまとう感情でしょう。社会体制に関わらない本質的な感情だと思います。だが、そういう自己顕示欲を持つこと自体が汚らわしいことだという価値観を、左派＝「リベラル」派の人たちは持ちがちですよね。そうした価値観によって自分の存在を認められるために取る個々人の行動を否定することが正しいのでしょうか。

茂木　斎藤氏は「環境に配慮した」商品を購入することを「大衆のアヘン」だといいます。彼によれば、そうした商品の購入は、真に必要な大胆な行動を取れなくさせるからだというこことになります。つまり彼は今の生産水準を大胆に引き下げる必要があると考えているのです。その考えは、多様なデザインなんてなくていいとか、実用性などない単なる装飾的なものは最初から不要だとか、気に入らない商品でも諦めて購入し、使えなくなるまで徹底的に使うべきという思考と結びついています。それは各人の選択の自由、表現の自由を著しく制約すべきだという考えに結びついていることになりますね。これは論理的に必然でしょう。

「リベラル」の勘違いを列挙する

朝香　私たちがカフェを利用する時に、ドトールに行くか、スタバに行くか、コメダに行くか、ルノアールに行くかは、目的によって微妙に変えていますよね。単純になるべく安ければいいと思えばドトールでしょうが、奥さんたちが友達同士でおしゃべりしたいと思ったらコメダを選ぶ確率が上がるだろうし、商談をするならルノアールに行く可能性が高くなるかと思います。つまり、「同じカフェ」でも「使用価値」は違っている。そしてその使用価値の違いで店を使い分けている。ところがこうした使用価値の違いを「クソどうでもいい」と言って否定しているのが斎藤氏ですね。

茂木　トイレなんて、大便ができて、小便ができて、水洗であればそれだけでいい。それ以上の機能なんて「クソどうでもいい」として否定するなら、ウォシュレットなんかが登場する余地はなかったでしょう。冬場の便座を温める機能とか、暖房機能とか、脱臭機能とか、オシャレなペーパーホルダーとか、気の利いた壁紙とか、カッコいい照明だとか、こういうのも全部「クソどうでもいい」ということになるでしょう。だがそこには生活の必要性に基づいたもの、生活にうるおいを高めるものが溢れていて、そうしたものがあるかないかによって入ったときの印象も便利さも随分と変わる。これがトイレだけなら大したことないかもしれませんが、生活のあらゆる側面で選択の幅が大きく制約されると、それは生き苦しさにもつながるでしょう。

朝香　そもそも、現代的な生活がもたらす環境破壊はそんなに深刻で、持続不可能なものなのでしょうか。国立環境研究所などが、これまでのペースのまま人類が二酸化炭素を出し続けた場合、二十一世紀末での地球温暖化によるＧＤＰの被害額は、世界全体のＧＤＰ

の三・九〜八・六％に相当するとの計算結果を公表しています。私はそんな被害が出るわけがないと本音では思っていますが、仮にこれが真実だとしても、私たちが成長を止めなければならない理由にはならないんじゃないでしょうか。むしろこの程度の被害を乗り越えるだけの経済成長をして対処するという方がよほど理にかなっていると感じます。

茂木　東京都の亀戸は、地下水の汲み上げによって明治二十四年から四メートルを超える地盤沈下を経験しましたが、水没していないですね。護岸工事をやり続けてきたからです。このことが象徴的に示しているのは、仮に地球温暖化が様々な問題を生むというのが事実だとしても、経済成長を行ってこれに対処できる力を人類がつければいいだけだということです。

朝香　世界の中には今なお飢えに苦しむ人、十分な教育を受けられない人などが数多くいますよね。様々な解決しなければならない問題があります。そしてその問題の大半は経済成長することで解決できます。こうした問題を解決することよりも、地球温暖化防止対策にお金を振り向けて、経済成長を止める方が合理的だと考える理由は全くないんじゃないですか。しかも人間が放出する二酸化炭素が地球温暖化の原因だというのが正しいとしての話であり、今回ここで議論するつもりはないですが、そもそもの前提自体が間違っている可能性も高いのです。

世界は「どんどんひどい方向に向かって」はいない

茂木　ベストセラーとなった『ファクトフルネス』という本の中に、世界の人口のうち、極度の貧困にある人の割合は過去二十年でどう変わったかを三択から選ばせるという設問があります。「約二倍に増えた」「あまり変わっていない」「半減した」の中から選択させるものでしたが、正解の「半減した」を選べた人はほとんどおらず、全体の七％でした。正解を知らないから、全員が当てずっぽうで選ぶとしても、確率としては三三％になるはずなのに、わずかに七％だったのです。これは私たち人間に事実に反した強い思い込みがあることを示しています。

朝香　世界の平均寿命も、今や男性が七一歳、女性が七六歳ですが、これは一九七五年頃の日本に相当します。世界の五歳未満の死亡者は、一九九〇年に出生千人あたり九十三人もいたのが、二〇二〇年には三十八人まで下がりました。今後も経済成長によって栄養・衛生環境が改善していくならば、もっともっと下がっていくでしょう。資本主義が貧困問題を生み出し、年々深刻化させているという思い込みがありますが、実は逆にどんどん解決する方向に動いているのが実際です。

茂木　米国内務省の元政策顧問で地球温暖化仮説に懐疑的なインドゥル・ゴラクニーによれば、一九二〇年代では極端な高温、旱魃（かんばつ）、洪水、地滑り、山火事など、気象による死者は世界人口百万人あたり二四一人もいましたが、二千年代に入ってからは百万人あたり五人です。九八％も減っているのです。経済成長を遂げて、こうしたものに対する人類の対処能力が引き上げられたからなのは間違いないですね。温暖化が仮に問題を作るとしても、私たちがそれに対する対処能力を高めていければいいだけではないでしょうか。

朝香　世界の大半の人たちが抱えているのは「世界はどんどんひどい方向に進んでいるに決まっている」との、事実に反する思い込みです。「世界は根本的に腐っている」から「こんな世界は根本的に変えなければならない」と考えている。この勘違いの根本に、「批判理論」などが根強い影響力を持ってきた現代社会の知的環境というものがあったのは間違いないでしょう。

茂木　もちろん人間の持つ、未知のものに対して恐怖を感じる本能なども影響を及ぼしてきたのでしょう。ですが、「この世の中を肯定的に描くなんて、人間としてあるまじき行為だ」、「この社会を変える方向に世論を持っていくべきだ」というマスコミ関係者の勝手な思い込みが、本来あるべき思想空間を大きく捻じ曲げてきたということを真剣に考えるべきではないでしょうか。

「慰安婦問題」を作り出した朝日の原点

朝香　マスコミの勝手な「捻じ曲げ」の最も顕著な例と言えば、朝日新聞のいわゆる「慰安婦誤報問題」がありますよね。「自分も参加して済州島で慰安婦狩りをした」とする吉田清治氏の「証言」を事実確認もせず、真実かのごとく報道し続けてきたことについて、朝日新聞が二〇一四年に誤りを認めました。

茂木　昭和史研究の秦郁彦（はたいくひこ）氏が済州島を訪れ、現地の人たちからそんな話は何一つないと、証言を集めて報告してくれました。ところが朝日新聞は事実確認をしようという態度を全く見せなかった。朝日新聞は日本国内ではこの「慰安婦誤報問題」の謝罪は一応行いましたが、世界に向けては未だに積極的な広報を行っていません。関連する英文記事について、特殊な「メタタグ」をウェブページに埋め込んで、検索エンジンに引っかからないように工作していたこともバレましたよね。

朝香　その後日本語記事についても同様の「メタタグ」を後から埋め込んだことがバレたりもしました。

茂木　福島第一原発事故において、事故後の対策で現場の指揮を行った吉田昌郎所長の「聴取結果書」について、朝日新聞は自分たちだけが独自に入手したものだとの思い込みから、デタラメな報道を行った。「原発の所員たちが吉田所長の命令に違反して事故現場から撤退した」との報道は完全な捏造だった。

朝香　「日本を肯定的に描くことなどありえない」とか「日本人の精神性を肯定的に描くのは正しくない」との勝手な前提があったとしか考えられませんね。中江利忠・元朝日新聞社長でさえ「下から地道に事実を積み上げるのではなく、上から観念的、教条的に物事を決めつける。これが朝日の伝統の中に過剰にあったことは否定できない」と述べています。

茂木　今となっては信じられない話でしょうが、戦後の日本に社会主義革命が近づいていた時代がありました。昭和二十二年（一九四七年）二月一日に、いわゆる「二・一ゼネスト」が計画されていましたが、これは社会主義革命の狼煙（のろし）となるはずだったものです。「ゼネスト」というのは、会社などの垣根を乗り越えて、全国的に一斉にストライキを行うというものです。「二・一ゼネスト」では企業の垣根を超えるだけでなく、産業の垣根も取っ払って、日本全国をデモ一色に染め上げるという計画になっていました。

朝香　「二・一ゼネスト」は、昭和二二年（一九四七年）一月一日に、「社会不安を煽っている『不逞の輩』の行動は排撃せざるをえない」との吉田茂総理の問題発言に、労組側が反発して計画されたことになっていますが、革命を起こすための口実を求めていただけの話です。二月一日という具体的日程はこの吉田茂発言によって決まったものかもしれませんが、日本中の企業労働者も官公庁労働者もすべて巻き込んだ巨大ゼネストを実行して、日本を社会主義にしようという動きは、既定路線として存在していました。

ちなみに「二・一ゼネスト」実行の責任者は、当時の日本の最大の労組である産別会議の議長をしていた聴濤克巳と、全官公庁共闘会議議長の伊井弥四郎の二人でしたが、この二人はともに日本共産党員でした。聴濤克巳は朝日新聞の論説委員でもあり、朝日新聞労組や「新聞単一」と呼ばれた「日本新聞通信放送労働組合」の委員長でもありました。最終的にこのゼネストはマッカーサーからの中止命令を受けて中止に追い込まれましたが、この中止の発表をＮＨＫラジオで涙ながらに行ったのも伊井弥四郎でした。

茂木　この「二・一ゼネスト」の前年の昭和二一年（一九四六年）十月には、「新聞単一」が「メディア・ゼネスト」を行う計画を立てていました。読売新聞において、正力松太郎社長と鈴木東民（とうみん）・論説委員らとの権力抗争があり、最終的に鈴木側は敗北したのですが、敗北した鈴木側を応援するために「メディア・ゼネスト」を行うべきだという主張が湧き上がったのです。

朝香　ですが、そもそも読売新聞において鈴木側が敗北したのは、鈴木側が一旦乗っ取った読売新聞が、あまりの共産主義礼賛的な記事になったことから、解約が相次いだという事情も絡んでいます。販売代理店もこんな読売新聞では困るということで、鈴木側を社外に追い出す動きに出ていました。

　鈴木側を支援するかどうかは、朝日新聞社内でも二分する状態でした。完全に共産化した読売の販売部数が急減したことを見ても、この路線は経営的に受け入れられない道だったわけです。日本共産党など性急な共産主義革命を求める勢力は、当然ながら鈴木側の支援に賛成でした。ちなみに鈴木東民も日本共産党員でした。

朝日がリードしたマスメディアの親中、親共産路線

茂木　こうした中、朝日新聞労組で「ゼネスト反対」の急先鋒だったのが広岡知男でした。東京六大学野球で首位打者にもなったことでも有名な人です。読売が旧体制で部数を伸ばしている中、広岡は「朝日新聞がストライキを行って読売に勝てるのか、そんなことをすればますます読売の現体制を利するだけではないか」と訴えました。こうした説得力ある議論で朝日の社内の空気を変え、結局朝日新聞全社の労組では「ゼネスト賛成」が四二八票、「ゼネスト反対」が七四三票となって、「ゼネスト反対」が朝日支部の見解となりました。朝日の経営陣は広岡を高く評価し、彼を編集局長に迎えます。

朝香　もっとも「ゼネスト賛成」派は熱狂的であることから、広岡に対する反発も強かった。そこで広岡は労組のトップには心優しい共産主義者である森恭三を立て、自分は労組内ではナンバー2になりました。

茂木　森恭三は共産主義者でしたが、第二次世界大戦でのソ連の火事場泥棒的な対日参戦や、その後の数多くの日本人のシベリア抑留により、ソ連は本当に人道的な社会主義なの

かとの疑問を感じていました。こういうこともあって、森は共産主義者でありながら、ゼネストに対して積極的に賛成の立場には立てないとの思いを持っていたのでしょう。

朝香　広岡はこの「メディア・ゼネスト」の真の狙いを理解していました。読売の鈴木側を助けるというのは建前に過ぎず、本音はゼネストを打つことで国民に対して一切の情報が届かない状態にし、その上で電力・鉄道・炭鉱といった基幹産業に次々とゼネストに突入させ、社会的大混乱を引き起こして革命を実現させようとしているのだと見通していたのです。

茂木　では広岡は反共産主義なのかというと、実はそうではない。毛沢東の中国に対して大いなる幻想を持っていた。広岡は一九六四年に社内クーデターに成功して、創業家の村山長挙（ながたか）社長を追い出して自分が朝日新聞の代表取締役に就任しました。その後は毛沢東万歳、文化大革命万歳のバリバリの親中路線を朝日新聞に進ませていきました。本多勝一の『中国の旅』は、こうした朝日新聞の親中路線の産物でもありました。本多の親中ぶりはすさまじく、例えば日本では標準語が偏重され、方言が軽んじられていると日本批判を行いながら、中国は「共通語と方言（または少数民族言語）との間に階級差別のない関係を実現した」として賞賛していますね。文化大革命期に中国では方言が徹底的に弾圧されていたことなど、彼の目には全然入らなかったようです。

朝香　広岡はゾルゲ事件で尾崎秀実に連座して逮捕され、朝日新聞を退社していた田中慎次郎を論説副主幹として戻すべきとの運動を行い、実際に戻させてもいます。こういうところにも彼の思想的傾向は出ていますね。なお広岡はテレビ業界においてテレビ朝日系列を作り上げた実力者でもありました。

茂木　こうした親中的な広岡のラインに対して、秦正流（はたしょうりゅう）に代表される親ソ連派のラインもありました。秦正流はスターリンが死んだとの報を知った時に「全世界の勤労人民、進歩的人類にとっての悲しみ」だと記しています。

朝香　秦正流は同じ親ソ連派の渡辺誠毅（せいき）や創業家の村山一族と手を組んで、後に広岡の追放に成功しました。

茂木　つまり、戦後の左派＝「リベラル」派を引っ張る役割を果たしてきた朝日新聞は、親ソ連派と親中派とが内部で抗争しつつも、一貫して親共産主義路線を進んできたというのが実際なわけです。それはそのまま戦後の言論空間そのものです。彼らはグラムシ理論もフランクフルト学派の名も知らなかったかもしれませんが、彼らが実践してきたことは、文化的マルクス主義そのものなのです。「こうあるべきだという理想世界」を脳内で設定し、その「理想」に合わない現実を徹底的に批判し、そういう現実を「放置」してきた伝統的な思考や文化を破壊する。マスメディアはその武器として使われてきたのです。左派＝「リベラル」派が「良識的」だと疑わないその考えには、こうした背景がつきまとっていることを軽視しないでもらいたいです。

左にも右にも「脱・思い込み思考」のすすめ

朝香　左派＝「リベラル」派の人たちは高い理想を持ち出して、それが現実的かどうかをあまり考えていないというところがあるように思います。例えば、「農薬は身体に悪いから絶対にダメだ」と、全否定するような人たちが割といます。

茂木　農薬を使うことで虫が食わないだけでなく、カビや寄生虫の発生なども防ぐことができますね。農薬の使用は農作物の安全性の確保にも役立っています。

朝香　美味しく品種改良された現代的な桃は、農薬を使わないと減収率は百％です。つまり農薬を使わないとそもそも食べられる桃ができない。キャベツの減収率は六七％です。つまり農薬を使わないと生産量が三分の一になってしまう。もちろん育てる作物の種類によって減収率はかなり上下しますが、農薬を利用するかどうかで収穫量自体が大きく変わることは知っておくべきです。農薬を使うかどうかで除草の手間が大きく変わり、この点でも生産コストは大きく変わる。それは販売価格にも当然反映することになる。値段が高くなれば野菜を食べる量が当然減ることになり、野菜をたくさん食べないことによる健康被害を生み出すことにもなる。この影響の方が農薬を使っているかどうかよりも人体への影響はずっと大きい。詳細はここでは述べませんが、決められた容量の範囲で農薬を使う限りは、健康上の被害は事実上考えられないのが実際であり、農薬は過剰に心配すべきものではありません。

茂木　私たちは消費者の健康のことばかり心配していますが、農薬を使う農家の方たちの健康も考えて、農薬の安全性が考えられていることも知っておくべきです。消費者よりも農家の方が遥かに多くの農薬にふれているのは当たり前ですよね。しかも現代の農薬は分解性能も高い。収穫されて店頭に並ぶまでの間でも、かなりの減衰が生じています。一面では「悪」で「無駄」に見えることが、他面から見れば必要なことは多くあるのですが、問題点ばかりに目が行ってしまうのは、人間が陥りやすい弱点ですね。

朝香　もう一つ、資本主義における搾取の問題を、左派＝リベラル派の人たちが考えすぎていることも指摘しておきたいです。私が最初に経済学を学んだ時に、完全な競争が成立するとすれば、理論上は利潤がゼロになるとの結論に、「こんなのは机上の空論だ」と反発を覚えました。その反発は今でも間違っているとは思っていませんが、それでもその後見方を逆転させました。確かに経済学が想定するようなレベルの自由競争はどうやっても実現するはずがないから、机上の空論であることは間違いないのですが、それでも自由競争が完全になればなるほど、利潤がどんどん小さくなっていく傾向的な法則があるということはいえるからです。独占・寡占をなるべく許さずに、できる限り厳しい自由競争が確保されるようにすれば、価格は低位に向かうことになります。つまりぼったくりはできなくなって、搾取は小さい問題になっていく。私はスーパーに行くたびに、よくこれだけのものがこんなに安く店頭で売れるものだといつも感嘆しています。

茂木　その一方で厳しい競争に晒されることに、左派は不平を述べたりもする。厳しい競争があることが消費者に低価格という利益をもたらしていることになかなか気付かない。給料がもっと高くなって、労働密度が下がって、労働時間が少ない方が暮らしやすいではないかと言われたらそうだけれども、それでは物価は下がるわけがない。経済効率が悪くなれば、それは物価に当然反映することになる。この宿命は資本主義が社会主義に変わっても解消しない。私たちは自分たちが作り出したものを交換することで生きているわけですから、自分たちが作り出したもの以上の生活ができるわけではない。それなのに、こんなに生活しにくいのは資本主義だからだと考えてしまう。

朝香　私たちが陥りがちな問題点は、事実を丁寧に見ることをせずに、勝手な決めつけから物事を見てしまいがちだというところです。左派＝「リベラル」派に限らず、「保守派」と呼ばれる側でもその傾向が強いと私は思っています。最も大切なのは極力事実ベースでものを見て、自分の捉え方が間違っていたら、即座に修正できる柔軟性があることではないでしょうか。その姿勢は自分の意見を常に絶対視しないで相対化する姿勢にもつながります。こうなると議論の場に求めることは、自分の意見がその場で優勢になることよりも、多様な意見が平等に扱われる場を用意することだと気づくんじゃないかと思います。

茂木　この観点にマスメディアが気づいて報道を変えてくれたら、日本は間違いなくいい国になりますね。私たちのこの思いが「リベラル」派の人たちにも届くことを願っています。

朝香　結論的な意見になるべく左右されることなく、できる限り事実を正しく見るという思考訓練は学校教育では扱っていないですね。

茂木　世界的に見て、日本人はテレビや新聞の報道、社説を鵜呑みにする人が多い。教育現場で「朝日の『天声人語』を書き写しましょう」なんてやっているからダメなのです。社説は新聞が違うと同じテーマでも見解が対立することがよくありますよね。こうした社説を読み比べて考えるというような、メディア・リテラシー教育が必要です。

入試の選抜においても、何か絶対的な正解を求めるだけでなく、論点の違いを整理させる能力を測るようなテストが導入されていくと、将来の言論空間を健全化させるのにきっと役立つでしょうね。すでに共通テスト（旧センター試験）では、そのような出題が出始めています。これは、良い傾向だと思います。

朝香　自分の意見と相手の意見が相違した場合に、どういうコミュニケーションを行うことでこの相違が乗り越えられるのかということも、今の学校教育では教えられることはありません。ですが、こうした能力こそ社会を前進させる意味で最も大切ではないでしょうか。相手の意見が間違っていると思った場合でも、それを頭から否定せずに、相手が大切にしている視点を自分が共有できていないからかもしれないという謙虚な姿勢が広がると、お互いが生活しやすくなると思います。

相手の意見が自分と違っていた場合に、却って相手の立場を尊重して、相手の真意を理解することを大切にできるようになるというのは、ディベート文化で議論の勝ち負けを決することを考えるアングロ・サクソン的なあり方よりも、よほど健全ではないでしょうか。

そしてこのあり方は、本来は日本人に最も適しているのではないかとさえ、私は思います。

茂木　岸田さんではありませんが、「相手の話をよく聞く」能力において日本人は優れています。アメリカ人なんか、人の話を聞かない人が多いですから(笑)。こういう技能を磨いた上で、こちらからも建設的な提案ができるような、議論で世界をリードするようなあり方を、日本人は目指すべきですね。

朝香　今はこういうことが、いわゆる「保守派」の中でもほとんど意識されていないので、強くやり込める人が高く評価されたり、意見の違いによってどんどん分裂していく傾向があるのではないかとも思っています。この点での意識改革にそこそこ成功するだけで、日本の未来も世界の未来も展望できるのではないでしょうか。

茂木　「○○に違いない」という思い込みが強く、それを補強する材料だけを集め、都合の悪い情報を目に入れなくすることを、心理学では「確証バイアス」といいます。いま、ネット検索の普及によりこの傾向が加速しています。検索AIのアルゴリズムが、検索者の好む情報を優先的に表示するしくみになっているからです。今こそ脱固定観念、脱「思い込み」が大切ということですね。このことは左派＝「リベラル」派に対してのみではなく、我々「保守派」の課題としても意識していきたいものですね。

おわりに

保守派の人たちと左派＝「リベラル」派の人たちは、お互いをまるで異星人のように考え、互いのことを理解できないというところがあります。理解できない相手を理解するというのは当然不可能なので、「相手はきっとこう思っているんだろう」という手前勝手な判断を相手に当てはめて「理解」しようとする傾向が人間にはあります。その結果、「あいつらはきっとこの程度のことしか考えられないアホなのだろう」などと考えがちです。ところがそれぞれが考えていることは、そもそもの前提が完全に食い違っていて、自分のフィールドから完全に抜け出さないままでは、相手を理解しようとしても理解できないというのが実際だったりします。

例えば保守派は、「『リベラル』派はどうして自由や民主主義を否定したがるのだろう」と思いがちですが、実は「リベラル」派も逆に、「保守派はどうして自由や民主主義を否定したがるのだろう」と思っていたりするものです。もともとの前提が違っているから、議論がかみ合わないのです。

私は元左翼ですから、左派＝「リベラル」派の気持ちも大いにわかります。ですから、彼らが心底正しいと思っていることを、まずは頭ごなしに否定しないで理解しようと努めてもらいたいなと、ずっと思ってきました。彼らがなぜそのような考え方をするのかを明確にし、それがなぜ誤りだと言えるのかを正面からぶつけていくというのは、これまでの保守側の議論では意外となかったのではないでしょうか。

「どうせそんなことをやってみても、『リベラル』派が考えを変えることなんて絶対にないよ。無駄な努力だよ」ともよく指摘されます。確かに凝り固まった「リベラル」派の場合には、そうかもしれません。しかしながら、かつて自分が「リベラル」派陣営から離脱していったように、真実を知ることによって考えを改める「リベラル」派もいるのではないかと思っています。そこに期待をかけたいと思っています。また、「リベラル」派を批判する場合にも、彼らの気持ちや論理を理解した上で批判できる人たちが増えることにも、大いに意味があるのではないでしょうか。

そしてこの本の隠れた大切な意義の一つは、自分と違う考えを持つ人と、どう共存していくかということを考えているというところです。議論の勝ち負けを念頭に置いて、相手に勝つことを目指してしまうのは、人間の本性からして当然ではありますが、そこにとどまってはいけないと思うのです。保守派の内輪の議論でも結論を決めつけた、言いたい放題の欠席裁判のようなこともよくあります。そのような議論を見てしまうと、私は虚しい思いをします。左派＝「リベラル」派の陣営に対して、保守派が最終的に勝利を収めるつもりであるなら、少なくとも保守派を分裂させないように議論を作っていくことを明確に意識すべきではないでしょうか。そしてそれは「リベラル」派との対話においても、本当は重要なのではないでしょうか。この点が極めて大切になるのではないかというメッセージが伝わってくれていればと思います。

この本の隠れた大切な意義のもう一つは、保守派とよばれる人たちの「当たり前」と思っている思考の中にも、案外と「リベラル」派的な思考が入り込んでいることが多いことを示唆したところです。この点については決定的な形では書いてはいませんが、本書で「リベラル」派の考えを取り上げながら、「自分と意外に考えが似ているかも」という思いが走ることもあるかもしれません。それほど「リベラル」派の考えは影響力が強いです。このことは普段は全く無自覚だと思いますが、そのことに気づけることがあったとすれば、それは自己認識においての大きな前進になると思います。

この本を読む中で、近現代史の謎がどんどん埋まっていって、「なるほど。そういうことだったのか！」と、バラバラに思えていたことの理解がつながる体験を楽しんでもらえたら、著者として嬉しい限りです。手前味噌ですが、内容が豊富な知的興奮が詰まった一冊になっていると思っています。

今回、茂木誠先生という世界史の達人の協力を得ることによって、自分の歴史の理解が大いに深まるとともに、まだまだ見えていないものが数多くあるんだなということを知ることができたのは、自分にとって心地良い機会でした。茂木誠先生に御礼を申し上げます。

最後に、私は何度も「保守派」という言葉を使いましたが、私のポジションは正確に言えば「反左翼」であり、「伝統保守」というのとは随分違いがあることを、指摘しておきたいと思います。従って、私の使う「保守派」は、言葉の定義としては随分ゆるいものだということを、ご理解いただけたらと思います。

令和四年六月吉日

朝香 豊

茂木 誠（もぎ まこと）

ノンフィクション作家、予備校講師、歴史系YouTuber。

駿台予備学校、N予備校で世界史を担当。『世界史で学べ！ 地政学』（祥伝社）、『「戦争と平和」の世界史』（TAC出版）、『「米中激突」の地政学』（WAC）、『テレビが伝えない国際ニュースの真相』（SB新書）、『政治思想マトリックス』（PHP研究所）、『「保守」って何？』（祥伝社）など。

YouTubeもぎせかチャンネルで発信中。

連絡先：mogiseka.com

朝香 豊（あさか ゆたか）
1964年、愛知県生まれ。私立東海中学、東海高校を経て、早稲田大学法学部卒。経済評論家。日本のバブル崩壊とサブプライムローン危機・リーマンショックを事前に予測し、的中させた。ブログ「日本再興ニュース」（https://nippon-saikou.com）は、冷静な視点で展開される記事が好評である。近著に『それでも習近平が中国経済を崩壊させる』（ワック）がある。

「リベラル」の正体（しょうたい）

2022年7月4日　初版発行

著　者　茂木 誠・朝香 豊

発行者　鈴木 隆一

発行所　ワック株式会社
東京都千代田区五番町4-5　五番町コスモビル　〒102-0076
電話　03-5226-7622
http://web-wac.co.jp/

印刷製本　大日本印刷株式会社

ISBN978-4-89831-870-6